Second Edition

deutsch aktuell 2

Workbook

Wolfgang S. Kraft

Consultant: Hans J. König

EMC Publishing, Saint Paul, Minnesota

ISBN 0-8219-0081-1

Published by EMC Publishing
300 York Avenue
St. Paul, Minnesota 55101

Printed in the United States of America
0 9 8 7 6

Lektion 11

1   Beantworte die folgenden Fragen mit einem ganzen Satz! (Answer the following questions with a complete sentence.)

1. Möchtest du eine Reise nach Europa machen?

   Ja ich möchte eine Reise nach Europa machen

2. Was für Gepäck gibst du auf dem Flughafen auf?

   Ich werde eine Koffer auf dem Flughafen auf.

3. Was braucht man vor einem Flug?

   einen Bordkarte

4. Was gibt es alles auf einem Flughafen?

   geschäfte, essen, drinken

5. Wo bekommt man eine Bordkarte?

   am schalter

6. Wer fliegt ein Flugzeug?

   der Pilot

7. Was erklärt die Flugbegleiterin vor dem Abflug?

   Sicherheits

8. Was macht man am Schalter im Flughafen?

   Gibt ihren Koffer auf

9. Wo möchtest du im Flugzeug sitzen?

   Ich möchte ein sitz beim Fenster

10. Wer fährt mit dir mit?

    I fahre alein

2 Wie heißen diese Körperteile auf deutsch? (Include the articles and plural forms.)

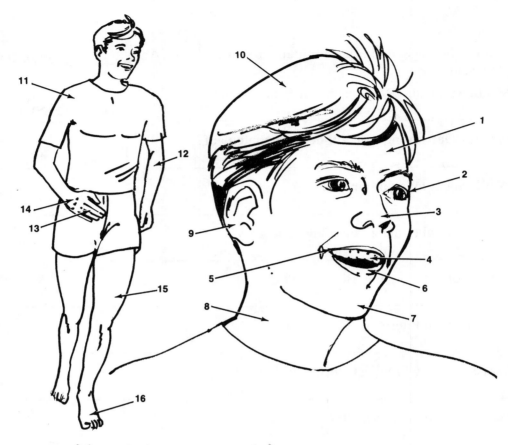

1. _die Stern_ _die Sterne_
2. _das Auge_ _die Augen_
3. _die Nase_ _die Nasen_
4. _der Zahn_ _die Zähne_
5. _der Mund_ _die Münde_
6. _die Lippe_ _die Lippen_
7. _das Kinn_ _die Kinnen_
8. _der Hals_ _die Hälse_
9. _das Ohr_ _die Ohren_
10. _das Haar_ _die Haaren_
11. _die Schulter_ _die Schultern_
12. _der Arm_ _die Arme_
13. _der Finger_ _die Fingern_
14. _die Hand_ _die Hände_
15. _das Bein_ _die Beine_
16. _der Fuss_ _die Fusse_

3 *Was machst du am Morgen?* Write a complete sentence describing the activity shown in each sketch. Use a different subject in each sentence. (*ich*, *er*, *der Junge*, *Christa*, etc.)

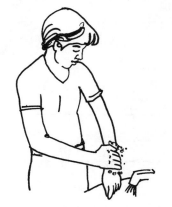

1. _Er wascht seine hande_

2. _Das Mädchen duschbot sich_

3. _Christa kammt ihre Haare_

4. _Tom raseist sich_

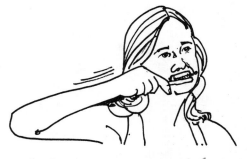

5. _Bob kammt seine Haare_

6. _Klara putzed ihre Zähne_

4 Vervollständige die folgende Unterhaltung! (Complete the following conversation.)

A: Guten Tag!

B: _Wo mochten sie reisen,_

A: Nach Deutschland.

B: _Ich mochte ihren pass sehen_

A: Ja, hier sind sie.

B: _Haben sie Gepäck ____ ____._

A: Ja, einen Koffer und eine Tasche.

B: _Wo mochten sie setzen_

A: Am Fenster, bitte.

B: _Wir haben einen sitz noch frei_

A: Danke schön. Wie viele Touristen fliegen denn mit dem Flugzeug?

B: _200 Touristen fliegen heute an diesen Flug_

A: So viele? Das Flugzeug muß ja sehr groß sein.

B: _Ja Das ist einer 747_

A: Wo ist denn der Flugsteig?

B: _Flugsteig 12, Links 3 Flugsteige weg_

A: Vielen Dank.

5

Was paßt zusammen? (What matches?) Choose the appropriate word from the list and write it next to its corresponding description. You will not need all the words.

Paßkontrolle   — Gepäckausgabe
— Pilot   ✓ Schalter
Personenkontrolle   — Zoll
— Fluggäste   — Gepäck
— Flughafen   — Bordkarte
— Sicherheitsmaßnahmen — Flugbegleiter
— Flugschein   Flugsteig

1. Dort stehen die Flugzeuge. _Flughafen_

2. Da kann man lesen, wo man im Flugzeug sitzt. _Bordkarte_

3. Koffer und Taschen. _Gepäck_

4. Er fliegt das Flugzeug. _Pilot_

5. Man kauft ihn für den Flug. _Flugschein_

6. Die Touristen in einem Flugzeug. _Fluggäste_

7. Manchmal muß man da warten, bis das Flugzeug abfliegt. _____

8. Dort muß man den Reisepaß vorzeigen. _Zoll_

9. Im Flugzeug bedienen sie die Fluggäste. _Flugbegleiter_

10. Dort bekommen die Leute ihre Koffer. _Gepäckausgabe_

11. Eine Angestellte arbeitet dort und gibt den Fluggästen Informationen.
Schalter

12. Man erklärt sie im Flugzeug vor dem Abflug. _Sicherheitsmaßnahmen_

6 Substitute pronouns for the italicized words. Change the word order, where necessary.

1. Er schreibt *seiner Freundin einen Brief*.
   Er schreibt ihr einen Brief

2. Hast du *dem Touristen den Satz* übersetzt?
   Hast du ihm den Satz übersetzt

3. Sie zeigt *den Fluggästen ihre Plätze*.
   Sie zeigt ihnen ihre Plätze

4. *Die Flugbegleiter* erklären *den Damen und Herren die Sicherheitsmaßnahmen*.
   Sie erklärt ihnen die Sicheitmass nahm

5. Hat *Sven seinen Freunden ein Geschenk* mitgebracht?
   _____

6. Ich habe *deinem Bruder mein Fahrrad* gegeben.
   Ich habe ihm es gegeben

7. *Meine Eltern* werden *meiner Schwester* zum Geburtstag *einen Koffer* kaufen.
   Meine Eltern werden ihr zum Geburtstag es kaufen

7 *Beantworte die folgenden Fragen!* Use the words provided in your answers.

1. Was hast du heute morgen gemacht? (sich duschen)
   Ich habe mich heute morgen geduschet

2. Was hast du nach dem Abendbrot gemacht? (sich die Zähne putzen)
   I habe meine Zähne geputzet. Ich putze mir die Zähn

3. Warum siehst du immer auf die Uhr? (sich beeilen/müssen)
   Ich muss mich beeilen auf die Uhr.

4. Warum fahrt ihr dorthin? (sich das Schloß ansehen/wollen)
   Wir wollen das Schloss uns ansehen

5. Was mußt du noch machen? (sich die Haare waschen)
   Ich muss noch meine Haare waschen

6. Warum seid ihr so froh? (sich auf die Reise freuen)
   Wir freuen uns auf die Reise

7. Warum gehst du nach Hause? (sich einen Anzug anziehen/müssen)
   Ich muss einen Anzug anziehen

8. Was wollt ihr jetzt tun? (sich Kassetten anhören)
   Wir wollen uns Kassetten anhören

8 Use the following reflexive verbs and write out a complete sentence for each of them.

1. sich waschen: _____

2. sich setzen: _____

3. sich ansehen: _____

4. sich kämmen: _____

5. sich anhören: _____

9 Vervollständige die folgenden Sätze! Setze die richtigen Wörter ein! (Fill in the correct words.)

Wörterbuch	Sicherheitsmaßnahmen	Bank
Fenster	Bordkarte	Flugsteig
Kassetten	Pilot	Brief
Reisebüro	Fotos	Flugbegleiter
Flugzeug	Koffer-Kuli	Flug
Schalter		Fluggäste

1. Die Mädchen erkennen sich sofort. Sie haben vorher _Foto_ ausgetauscht.

2. Ich möchte gern am _Fenster_ sitzen. Von dort kann man die Landschaft gut sehen.

3. Wo können Sie die Flugscheine bekommen? Im _Reisebüro_.

4. In einem _Wörterbuch_ findet man die Bedeutung von diesen Wörtern.

5. Sie verstehen gut Deutsch. Ja, ich höre mir sehr oft _Kassetten_ an.

6. Auf der _Bordkarte_ steht die Nummer vom Sitzplatz.

7. Gehen Sie bitte zu _Flugsteig_ 21. Von dort wird Ihr Flugzeug abfliegen.

8. Am _Schalter_ müssen sie ihre Pässe vorzeigen.

9. Kannst du denn diesen _Brief_ lesen? Ich kann nur ein paar Wörter verstehen.

10. Der _Pilot_ informiert alle _Fluggäste_, um wieviel Uhr sie landen werden.

11. Die _Flugbegleiter_ werden kurz vor dem Abflug die _Sicherheitsmaßnahmen_ erklären.

12. Wann ist das _Flugzeug_ gelandet?

13. Ich werde meine Koffer auf einen _Koffer-Kuli_ stellen.

14. Wo haben Sie Reiseschecks bekommen? Bei der _Bank_.

15. Ein Ansager gibt den _Flug_ nach Köln bekannt.

10 Die folgenden Sätze beschreiben *Lesestück 1*. Setze die richtigen Wörter ein!

Kathy Jordan findet einen _____ von ihrer Brieffreundin im _____. Kathy und Martina schreiben sich schon ein _____ lang. Kathys Eltern verstehen kein Deutsch. Deshalb muß sie den Brief ins Englische _____. Martina schreibt, Kathy soll im Juli nach _____ kommen. Sie kann bei ihr vier Wochen _____.

Kathy hat schon drei _____ Deutsch gelernt. Sie erzählt ihrer _____ von der Reise. Sie zeigt ihr ein _____ über Deutschland.

Vor dem Abflug bekommt Kathy ihren _____. Sie kauft auch ein paar _____ bei der Bank. Das _____ schickt ihr die Flugscheine zu. Endlich ist der große Tag da. Am Morgen packt Kathy ihren _____ und ihre _____. Ihre _____ fahren sie zum Flughafen.

An einem _____ gibt sie ihr Gepäck auf. Zuerst muß sie durch eine _____. Am Flugsteig wünschen ihr Kathys Eltern eine gute _____. Dann _____ sie nach Chicago.

Eine Angestellte sieht sich Kathys Flugscheine und ihren _____ an. Sie sucht sich auch gleich einen _____ aus. Die Angestellte gibt ihr eine _____. Kathy soll 30 _____ vor dem Abflug zum Flugzeug gehen. Sie hat jetzt aber noch viel Zeit. Deshalb setzt sie sich auf einen Platz und _____ eine Zeitschrift.

Eine halbe Stunde vor dem Abflug gibt ein _____ den Abflug bekannt. Kathy und die anderen _____ gehen direkt zum Flugzeug. Die Flugbegleiter erklären noch kurz vor dem Abflug die _____. Nach dem Abflug macht es sich Kathy _____. Sie liest eine _____ und hört sich _____ an. Nach einer Stunde bekommen alle ein _____. Dann zeigen sie einen _____. Er ist sehr interessant. Später _____ Kathy noch ein wenig. Zwei Stunden vor der Ankunft bekommen alle Fluggäste noch _____. Der Flug von Chicago nach Frankfurt dauert _____ Stunden.

Kurz vor der Ankunft informiert der _____ die Fluggäste, daß sie bald in Frankfurt landen werden. Aus dem Fenster kann Kathy Felder und _____ sehen.

In Frankfurt geht Kathy zuerst durch die _____. Sie bekommt ihren Koffer bei der _____. Von dort geht sie durch den _____ zum Ausgang. Gleich am Ausgang begrüßen sie _____ und ihre Eltern.

11 Beantworte diese Fragen über *Lesestück 2*!

1. Wie kommen die Touristen nach Wien?

_____

2. Beschreibe die Landschaft in der Wiener Gegend!

_____

3. Welche Sehenswürdigkeit überragt die Stadt Wien?

_____

4. Wer hat früher in der Hofburg gewohnt? Was befindet sich dort heute?

_____

5. Wo gehen viele Österreicher und Ausländer gern einkaufen?

_____

6. Was findet man alles auf der Ringstraße?

_____

7. Wie lange ist die Theater- und Musiksaison?

_____

8. Wie alt ist Schloß Schönbrunn und wo liegt es?

_____

9. Was ist der Prater?

_____

10. Beschreibe die Umgebung Wiens!

_____

11. Was machen die Österreicher in Grinzing?

_____

12. Wer sorgt dort für Stimmung?

_____

12 Match each word on the left with its appropriate description from the right.

_____ 1. Tankstelle

_____ 2. Schwebebahn

_____ 3. Seilbahn

_____ 4. Doppeldecker

_____ 5. Polizei

_____ 6. Reisebus

_____ 7. Straßenbahn

_____ 8. U-Bahn

_____ 9. Fahrkarte

_____ 10. Lastwagen

a. Es ist ein Verkehrsmittel in vielen Städten.

b. Ohne diese darf man nicht mit dem Zug fahren.

c. Ihre Wagen sind weiß und grün.

d. Mein Tank ist fast leer. Ich muß schnell dorthin fahren.

e. Mit diesem Verkehrsmittel kommt man auf den Berg.

f. Sie fährt in München, Hamburg und Berlin.

g. Er transportiert unsere Möbel (furniture).

h. Viele Touristen fahren mit diesem Verkehrsmittel.

i. Diese Busse fahren in Berlin.

j. Sie fährt in Wuppertal.

13 Rätsel

In the letters below you will find words for fourteen different parts of the body. The letters may go backwards or forwards; they may go up, down, across, or diagonally. However, they only go one way in any word. (Note: ss = ß)

```
G  U  U  D  T  H  Y  G  C  S  I  X  Q  K  R
P  C  A  V  F  J  O  D  B  N  Y  W  D  X  O
F  L  P  A  K  E  Y  Q  N  R  I  T  S  R  D
P  U  F  N  M  F  P  D  N  A  H  E  S  M  G
N  G  P  I  U  A  H  P  T  C  B  I  M  C  D
F  N  O  E  N  U  D  A  I  N  T  R  O  S  Q
H  E  K  B  D  G  M  S  S  L  A  H  J  G  B
M  T  Q  H  P  E  E  L  F  U  S  S  F  X  J
F  I  H  R  J  G  O  R  H  O  K  R  E  L  R
H  B  W  M  A  K  U  C  P  E  G  V  N  I  P
O  E  Q  Y  W  H  B  I  E  D  A  E  J  Q  A
```

14 Sieh dir die Eintrittskarten an und beantworte dann die Fragen!

1. Um wieviel Uhr beginnt die Spanische Reitschule mit der Vorführung?

   _____

2. Wieviel kostet die Eintrittskarte zum Schloß Schönbrunn?

   _____

3. Wie oft kann man mit dieser Eintrittskarte das Schloß besuchen?

   _____

4. Wo ist der Eingang zur Spanischen Reitschule?

   _____

5. Wieviel kostet die Eintrittskarte zur Spanischen Reitschule?

   _____

6. Ist die Eintrittskarte zum Schloß Schönbrunn für Kinder?

   _____

7. Für welchen Platz ist die Eintrittskarte zur Spanischen Reitschule?

   _____

8. An welchem Tag ist die Vorführung?

   _____

15 *Schreibe einen Dialog über das Thema „Wir fliegen nach Europa"!* Your dialog should include the following details:

You approach the ticket counter and ask the clerk when your flight will leave. S/he tells you and asks if you have your flight ticket and passport. You hand him/her these items. The clerk asks you about your seat preference. You also inquire about the meals to be served on board. You are told that there will be two — dinner and breakfast. Furthermore, you find out that a movie will be shown. You ask the clerk if the plane will be full, and s/he tells you that many seats are still available. Therefore, s/he is leaving the seat next to you empty so that you can have more room. Finally, you ask about the arrival time and the difference between the time at your home and the country of your arrival. The clerk informs you about this as well.

16 Rund um Wien

Look at the map and the description of the city of Vienna and answer the questions.

Schnellverbindungen in Wien

      This copyrighted material may not be reproduced without permission from EMC Publishing.

3 Tage-Wien-Netzkarte

Rund um die Altstadt, in den Prater, zum Heurigen oder nach Schönbrunn — wohin Sie wollen, sooft Sie wollen — preisgünstig wie nie zuvor.

Die neue Möglichkeit, Wien preiswert kennenzulernen, ist die Netzkarte „3 Tage-Wien". Zum Preis von nur 66 öS können Sie an drei aufeinanderfolgenden Kalendertagen, beginnend mit dem Tag der Entwertung, das mehr als 500 km umfassende Streckennetz der Wiener Verkehrsbetriebe (U-Bahn, Stadtbahn, Straßenbahn, Autobus) sowie zusätzlich den Wiener Bereich der Schnellbahn und die Autobuslinien der Tarifgemeinschaft (Liniensignal „B") benützen. Für beliebig viele Fahrten:
Zum Belvedere etwa oder zum Museum moderner Kunst, ins Kurzentrum Oberlaa oder zum Lainzer Tiergarten, zum Stephansplatz in der Stadtmitte oder zur „Uno-City" bei der Alten Donau . . .

Die Netzkarte ist erhältlich:

Wiener Verkehrsbetriebe — Informationsstellen

Karlsplatz Ⓤ, Tel. 57 31 86
Montag bis Freitag 7—18 Uhr, Samstag, Sonn- und Feiertag 8.30—16 Uhr

Stephansplatz Ⓤ, Tel. 52 42 27
Montag bis Freitag 8—18 Uhr, Samstag, Sonn- und Feiertag 8.30—16 Uhr

Praterstern Ⓤ, Tel. 24 93 02
Montag bis Freitag 10—18 Uhr

Zentrum Kagran Ⓤ, Tel. 23 23 97
Montag bis Freitag 10—18 Uhr

und bei allen **offiziellen Vorverkaufsstellen**, Montag 6 bis 12 Uhr, Dienstag, Mittwoch 6.30—12.30 Uhr, Donnerstag, Freitag 12.30—18.30 Uhr.

Tourist-Information Opernpassage: im unterirdischen Fußgängerbereich bei der Staatsoper/Kärntner Ring/Karlsplatz Ⓤ, täglich 9—19 Uhr.

Bei Ihrer Ankunft in Wien erhalten Sie Netzkarten bei den **offiziellen Tourist-Informationsstellen** Wien West (Autobahn aus Richtung Salzburg, Autobahnstation Wien-Auhof), Wien Süd (Autobahn aus Richtung Graz, Abfahrt Zentrum, Triester Straße 149)

Flughafen Wien (in der Ankunftshalle bei der Gepäckausgabe)

DDSG-Schiffstation Reichsbrücke
und bei den **Informationsstellen des Österreichischen Verkehrsbüros** Wien Westbahnhof (obere Halle), Wien Südbahnhof (untere Halle)

1. Wie viele Haltestellen (mit der U-Bahn) ist das Rathaus vom Volkstheater entfernt?

   _____

2. Wo liegt Heiligenstadt?

   _____

3. Wie kommt man vom Stephansplatz zum Schloß Schönbrunn?

   _____

4. Mit welchem Verkehrsmitteln kann man von Strebersdorf nach Süßenbrunn fahren?

   _____

5. Wieviel kostet eine „3 Tage-Wien-Netzkarte"?

   _____

6. Mit welchen Verkehrsmitteln kann man mit einer Netzkarte fahren?

   _____

7. An welchem Fluß liegt die „Uno-City"?

   _____

8. Wo kann man Netzkarten bekommen?

   _____

9. Wann ist die Informationsstelle am Karlsplatz geöffnet?

   _____

10. Wie ist die Telefonnummer der Informationsstelle am Stephansplatz?

   _____

17 Kreuzworträtsel (ss = ß)

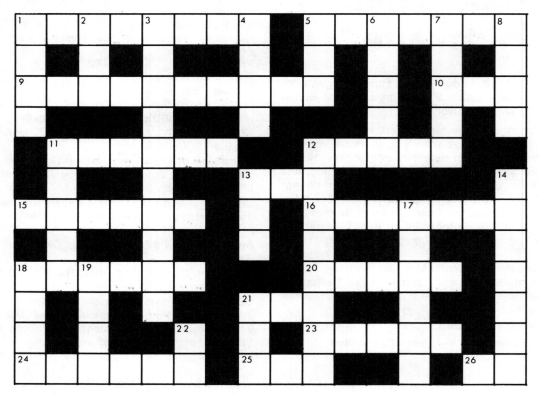

Waagerecht

1. Wie viele Stunden fliegt das _____ nach Deutschland?
5. Ich muß mich noch schnell _____. Ist das Wasser nicht zu kalt?
9. Ein paar hundert _____ machen bei dem Sportwettbewertb mit.
10. Es dauert noch eine Stunde, _____ wir dort ankommen.
11. Ich _____ heute zu Hause.
12. Was hast du gestern _____? Nichts. Ich habe einfach keine Zeit gehabt.
13. _____ besuchen ihre Schwestern.
15. Wie viele _____ hat eine Hand?
16. Die Donau _____ durch Wien.
18. Später _____ wir durch die Paßkontrolle gehen.
20. Die _____ warten auf ihr Gepäck.
21. Vier _____ drei ist zwölf.
23. Wo habt ihr _____ Flugscheine?
24. Kiel und Bremen _____ in Norddeutschland.
25. Was _____ Sie denn? Ich lese die Zeitung.
26. Um acht müssen wir _____ der Schule sein.

Senkrecht

1. Dieses _____ ist schon ein paar Jahre alt. Peter ist heute viel älter.
2. Dort studieren die Studenten.
3. Ein Meter hat 100 _____.
4. ,,Spiel" auf englisch.
5. _____ Abend ist sehr schön gewesen.
6. Warum _____ du kein Wort?
7. _____ Sie Ihren Reisepaß mitgebracht?
8. Heute gibt es ein tolles Essen. Wie weißt du das? Ich habe eine ausgezeichnete _____ .
11. Sabine und Gabi kommen bald. _____ sind gute Freundinnen.
12. Wie _____ Ihnen diese Kleider?
13. Fährst du zum Fluß? Nein, ich fahre lieber an den _____ .
14. Viele Touristen _____ in den Zug ein.
17. Mein Vater und meine Mutter sind meine _____ .
18. Ich _____ nächstes Jahr nach Europa fahren.
19. Die Polizei und das _____ Kreuz sind schon eine Stunde vor dem Spiel da.
21. Die Jungen fahren _____ ihren Motorrädern nach Heidelberg.
22. Um wieviel Uhr kommt das Flugzeug _____ ?

Lektion 12

1 Beantworte die folgenden Fragen mit einem ganzen Satz!

> *Beispiel:* Wann beginnt die Schule?
> Sie beginnt am 5. (fünften) September.

1. Wann ist dein Geburtstag?

_____

2. Wann ist Weihnachten dieses Jahr?

_____

3. Wann hat deine Mutter oder dein Vater Geburtstag?

_____

4. Wann ist Ostern?

_____

5. Wann ist der Tag der Einheit?

_____

6. Wann ist der Tag der Arbeit in Europa?

_____

2 Beschreibe diese Wörter mit einem ganzen Satz?

1. der Bräutigam _____

_____

2. der Feiertag _____

_____

3. das Surfbrett _____

_____

4. die Aufnahme _____

_____

5. das Neujahr _____

_____

6. das Standesamt _____

_____

3 Rewrite each of the following sentences, first in the past tense and then in the present perfect tense.

1. Zuerst nimmt er den Gabelbaum.

   _____

   _____

2. Sie halten den Mast.

   _____

   _____

3. Seid ihr startbereit?

   _____

   _____

4. Ich mache das Segel fest.

   _____

   _____

5. Um wieviel Uhr kommt ihr aus der Schule?

   _____

   _____

6. Siehst du das Schloß von hier?

   _____

   _____

7. Die Standesbeamtin spricht in einem Büro.

   _____

   _____

8. Er gibt ihm die Ausweise zurück.

   _____

   _____

9. Wo arbeitet deine Freundin?

   _____

   _____

10. Sie wählen Musik aus.

   _____

   _____

4 Wie heißt das auf deutsch?

1. What happens in a few minutes?

   _____

2. The wedding carriage stops here.

   _____

3. They have to sign the marriage certificate.

   _____

4. We have invited many guests.

   _____

5. Are you supposed to wait for a while?

   _____

6. A wedding is taking place.

   _____

7. They are married.

   _____

8. She wishes them luck.

   _____

5 Wie heißen diese Feiertage?

1. E T N R O S _____
2. C E I W N N H T H A E _____
3. A N H R E U J _____
4. I N P T G F E S N _____
5. M H L T M E H A R F I _____
6. O T R A K V R G L T E S U A _____
7. E A G R K A F T I R _____

6 Die folgenden Sätze beschreiben *Lesestück 1*. Setze die richtigen Wörter ein!

Jeden Freitag, im Frühling und im _____, ist das _____ in Neubrandenburg der Mittelpunkt der Stadt. Gruppen von _____ und Bekannten warten hier. Dieser Tag ist für viele ein besonderes _____.

Eine _____ hält an und die _____ und der Bräutigam steigen aus. Ein paar Leute machen _____. Ein Paar kommt gerade aus dem Standesamt heraus. Sie sind schon _____.

Eine Dame erklärt Giesela und Volker, was in ein paar Minuten _____. Diese Dame — sie ist die _____ — gibt dem Bräutigam die _____ und die Ausweise zurück. Volker _____ noch ein paar Papiere. In dem ,,Buch der Familie" stehen wichtige _____ von Gieselas und Volkers _____ und Großeltern.

Die Braut, der Bräutigam und die _____ warten ein paar Minuten auf dem _____. Plötzlich öffnet sich eine Tür und alle gehen in ein _____. Giesela und Volker setzen sich vorne auf zwei _____. Alle hören jetzt klassische _____. Diese Musik haben Volker und Giesla vorher _____.

Zuerst spricht die Standesbeamtin. Dann _____ alle Hochzeitsgäste auf. Die Standesbeamtin fragt die Braut und den Bräutigam, ob sie mit der _____ einverstanden sind. Beide sagen ,,ja" und unterschreiben die _____. Dann tauschen sie die _____ aus. Die Beamtin wünscht dem Ehepaar _____ und alle verlassen das Zimmer. Volker und Giesela gehen direkt zu ihrem _____. Er steht vor dem Eingang. Dann fahren sie Richtung _____. Die Hochzeitsgäste folgen ihnen. Man hat sie zum Essen _____.

7 Vervollständige die folgenden beiden Unterhaltungen! Schreibe ganze Sätze!

A: Hörst du die Musik?

B: _____

A: Ich glaube, das ist eine Hochzeit.

B: _____

A: Ich weiß nicht.

B: _____

A: Du hast recht. Warte, ich komme mit.

B: _____

A: Mann, sind da aber viele Zuschauer!

_____

C: _____

D: Nein, ich habe leider keine Zeit.

C: _____

D: Ja, dann kann ich mitfahren.

C: _____

D: Ich habe aber kein Surfbrett.

C: _____

D: Vielleicht kann er es mir geben.

C: _____

D: Ich bin noch nie surfen gegangen.

C: _____

D: Das stimmt.

8 *Schreibe einen ganzen Satz!* Determine the infinitive of each verb provided, convert it to a noun and form a new sentence that is meaningful.

> *Beispiel:* spielen
> Beim Spielen ist sie immer gut.

1. fahren _____

2. sprechen _____

3. schreiben _____

4. surfen _____

5. fotografieren _____

6. kochen _____

9 Beantworte diese Fragen über *Lesestück 2!*

1. Wo liegt Bern?

_____

2. Wie alt ist das Münster?

_____

3. Welcher Fluß fließt durch Bern?

_____

4. Wo kann man viel über die Geschichte der Schweiz lernen?

_____

5. Was ist der Zeitglockenturm?

_____

6. Was ist das Stadtwappen der Hauptstadt?

_____

7. Wie kommen die Berner durch die Stadt?

_____

8. Was machen die Einwohner auf dem Markt?

_____

9. Was ist der Rosengarten?

_____

10. Was gibt es in der Nähe von Bern?

_____

10 *Wo finden die folgenden Feste statt?* Match each festival with the city in which it is held.

_____ 1. Schwäbisch Hall	a.	Kinderzeche
_____ 2. Oberammergau	b.	Sommertagszug
_____ 3. Köln	c.	Fassenacht
_____ 4. Nürnberg	d.	Siedertanz
_____ 5. Heidelberg	e.	Karneval
_____ 6. Ravensburg	f.	Hochzeit
_____ 7. Hameln	g.	Rattenfänger
_____ 8. München	h.	Christkindlesmarkt
_____ 9. Ulm	i.	Meistertrunk
_____ 10. Dinkelsbühl	j.	Passionsspiel
_____ 11. Urach	k.	Oktoberfest
_____ 12. Rothenburg	l.	Rutenfest
_____ 13. Landshut	m.	Schäferlauf
_____ 14. Mainz	n.	Fischerstechen

11 Lies die Information über Bern und beantworte dann die Fragen!

Unterkunft

Vermittlung: Offiz. Verkehrsbüro im Hauptbahnhof (Mo–So), City Informationsstellen für Automobilisten am Stadtrand (s. S. 4).
Hotels: 49 Hotels, 2973 Betten. Siehe Hotelliste des Offiz. Verkehrsbüros.
Camping: mit Wohnwagen und Anhänger erreichbar.
Eichholz: 3,5 km südöstlich Stadtzentrum (Strasse nach Belp), Tel. 54 26 02 (geöffnet April–Oktober).
Eymatt: 5 km nordwestlich Stadtzentrum (Strasse nach Wohlen), Tel. 56 01 13 (ganzjährig geöffnet).
Jugendherberge: ganzjährig geöffnet. Weihergasse 4 (Mo–Sa 07.00–10 und 17–24 Uhr, So 07.00–9 und 17.30–24 Uhr), Tel. 22 63 16. Ende Febr./Anf. März geschl.

Verkehrsmittel, Ausflüge

Flughafen Bern-Belpmoos: 9 km südlich Stadtzentrum, Tel. Alpar 54 34 11.
24-Stunden-Karte SVB: Fr. 4.— für unbeschränkte Fahrten auf ganzem Netz (62 km) der Städt. Verkehrsbetriebe. **Touristenkarte** für unbeschränkte Fahrten auf ganzem Netz. 1 Tag Fr. 3.—, 2 Tage Fr. 4.50, 3 Tage Fr. 6.—. Erhältlich: Verkaufsstelle Jurahaus, Bubenbergplatz 5, Tel. 22 14 44; Verkaufsstelle Hauptbahnhof, Bahnhofunterführung, Tel. 22 62 04.
Taxi: Öffentl. Abstellplätze: Casinoplatz, Tel. 22 05 40; Hauptbahnhof, Tel. 22 04 40; Kornhausplatz, Tel. 22 29 29; Hirschengraben, Tel. 22 40 22; Waisenhausplatz, Tel. 22 18 18.
Stadtrundfahrten: im Car mit sprachkundigem Führer. Ganzjährig: Samstag 14 Uhr, 1. April – 31. Okt. täglich 14.00 Uhr (ausgenommen sonntags), 2. Mai – 31. Okt. auch 10 Uhr. Abfahrtsort: Vor dem Verkehrsbüro, Bus-Perron 3, Südseite Hauptbahnhof. Fahrkarten: Offiz. Verkehrsbüro, Reisebüros, Hotels.
Ausflug Gurten (Aussichtspunkt, Wandergebiet, Kinderparadies): Tram Nr. 9 und Drahtseilbahn (Europas schnellste Standseilbahn). Retourfahrkarten von und nach einer beliebigen Haltestelle des SVB-Netzes: Fr. 5.— (Kinder bis 16 Jahre Fr. 3.—). Automobilisten ab Talstation (Parkplätze) Fr. 4.— retour.
Exkursionen: täglich verschiedene halb- und ganztägige Ausflüge mit Car, Bahn, Schiff. Siehe auch Exkursionsprospekt des Offiz. Verkehrsbüros.

Allgemeine Informationen

Wichtige Adressen und Telefonnummern   Tel.

Notfall	Feuerwehr	118
	Polizei	117
	Sanität	144
	Arzt/Zahnarzt	siehe Stadtanzeiger oder 22 92 11
	Nachtapotheke	siehe Stadtanzeiger oder 22 92 11
Touring-Hilfe (Pannendienst TCS/ACS)		140
Stadtpolizei, Hauptwache, Waisenhausplatz 32		22 55 51
Fundbüro, Zeughausgasse 18 (Mo–Fr 7.30–11.30 und 13.45–17.00 Uhr)		64 67 72
Berner Handelskammer/HIV, Gutenbergstrasse 1		25 44 11
Automobil-Club der Schweiz ACS, Sektion Bern, Theaterplatz 13		22 38 13
Touring-Club der Schweiz TCS, Sektion Bern, Thunstrasse 63		44 22 22
Offiz. Verkehrs- und Kongressbüro der Stadt Bern, im Bahnhof		22 76 76

Feiertage in Bern: Neujahr, Berchtoldstag (2. Jan.), Karfreitag, Ostersonntag, Ostermontag, Auffahrt, Pfingstsonntag, Pfingstmontag, Eidg. Bettag, Weihnachten, Stephanstag (26. Dez.).
Öffnungszeiten
Banken (Schalter): Mo–Mi 8–16.30 Uhr, Do 8–18 Uhr, Fr 8–16.30 Uhr, Sa/So geschlossen.
Change/Geldwechsel Hauptbahnhof: Täglich 6.10–22 Uhr.
Geschäfte Stadtzentrum: Mo 14–18.30 Uhr, Di–Fr 8.15–18.30 Uhr, Do Abendverkauf bis 21 Uhr, Sa 8.15–16 Uhr, So geschlossen. Sonderregelung für Spezialbranchen.
Hauptpost Schanzenpost: Mo–Fr 7.30–18.30 Uhr, Sa 7.30–11.00 Uhr, So geschlossen. Dringlichkeitsschalter: Mo–Fr 6.00–7.30 und 18.30–23.00 Uhr, Sa 6.00–7.30 und 11.00–23.00 Uhr, So 10.00–12.15 und 16.00–23.00 Uhr.
Reisebüros: Mo–Fr 8/8.30–12 und 13.30–18 Uhr, Sa 8/8.30–12 Uhr, So geschl.
Wertzeichenverkaufsstelle PTT (für Philatelisten): Zeughausgasse 19/21, Tel. 62 36 96. Mo–Fr 8.30–18.30, Sa 8.30–12.00, So geschl.

1. Welche Telefonnummer hat die Polizei?

   _____

2. Wo liegt die Jugendherberge? Wann ist sie geöffnet?

   _____

   _____

   _____

3. Wie weit liegt der Flughafen vom Stadtzentrum entfernt?

   _____

4. Wie viele Hotels gibt es in Bern?

   _____

5. Wie viele Feiertage gibt es und wie heißen sie?

   _____

   _____

   _____

6. Um wieviel Uhr beginnt die Stadtrundfahrt (city sight-seeing tour) im Juli?

   _____

7. Um wieviel Uhr sind die Banken in Bern geöffnet?

   _____

   _____

8. Wo gibt es in der Berner Gegend Campingplätze?

   _____

12 Kreuzworträtsel (UE = Ü)

Waagerecht

1. Der Bräutigam und die Braut müssen sie unterschreiben.
8. Eine Farbe.
9. Ein Segelboot hat einen _____.
10. Das _____ schmeckt sehr gut.
11. Kannst du die _____ festmachen?
13. _____ möchte surfen gehen.
14. _____ du dich an die schönen Ferien?
18. Uwe ruft Giesela gleich _____.
19. Hast du _____ Reisepaß mitgebracht?
20. ,,Passen'' auf englisch.
22. Ein Sommermonat.
23. _____ warten vor dem Standesamt.
25. Die Damen und _____ besichtigen das Stadttor.
26. Wir haben _____ Tante schon ein paar Jahre nicht mehr gesehen.
27. Wo steht _____ Hochzeitskutsche?
29. Die _____ und Teller stehen auf dem Tisch.
30. Ich kann es _____ glauben. Wir fliegen morgen endlich nach Europa.
31. An dem = _____.
33. Wann sollen wir uns vor dem Theater _____?
35. _____ ist dieses Mädchen?
37. Ist heute Montag? _____, heute ist Dienstag.
40. Die Leute versammeln sich vor der Kirche. Heute ist dort eine _____.
42. Ich _____ einen Kuli. Ich möchte eine Karte schreiben.
43. ,,An'' auf englisch.

Senkrecht

1. Ein Feiertag in Deutschland.
2. _____ braucht man beim Ravensburger Rutenfest.
3. Das Haus hat viele _____.
4. Wir müssen _____ noch schnell die Hände waschen.
5. Ist das Wasser _____ oder warm?
6. Das Oktoberfest ist jedes Jahr ein großes _____ in München.
7. Auf dem Parkplatz _____ viele Autos.
12. Gehen wir ins Kino! Das ist eine gute _____.
15. Ich habe kein _____ für dieses Fach. Es ist zu langweilig.
16. _____, wollt ihr mitkommen?
17. Die Jugendlichen spielen Musikinstrumente und _____.
21. Ich habe Hunger. Wann _____ wir denn?
22. Zieh dir doch diese Hose _____!
24. Herr Schubert ist der _____ von Frau Schubert.
27. Wo steht dein Fahrrad? _____ drüben.
28. A, E, _____, O, _____.
30. Der Verkäufer kennt seine _____ sehr gut.
31. Mein Onkel kommt am Nachmittag auf dem Bahnhof _____.
32. Matthias surft sehr gern. _____ geht oft an den See.
34. Wohin fliegen Herr und _____ Schulz?
36. Interessiert ihr _____ für diesen Film?
38. ,,Sie'' auf englisch.
39. Was will Jochen zuerst probieren? _____ möchte surfen.
41. ,,Zu'' auf englisch.

13 Beantworte die folgenden Fragen über Landshut!

Landshuter Hochzeit 1475

Unterkünfte

Mit einer Unterbringung außerhalb der in diesen Tagen überfüllten Stadt muß gerechnet werden. In Landshut (55 435 Einwohner) und dem Landkreis stehen zur Verfügung: 1429 Betten in 54 Hotels und Gasthöfen. Übernachtung und Frühstück 11–48 DM.

Nächster Termin

20. Juni bis 12. Juli, vier Wochenenden, jeweils mit „Musik um 1475", „Fest- und Tanzspiel", „Festlichen Spielen im nächtlichen Lager", „Hochzeitszug" sowie „Huldigungen, Reiter- und Ritterspielen".

Gratis beobachten kann man jederzeit in der Alt- oder Neustadt den Hochzeitszug am Sonntagnachmittag ab 14.45 Uhr, außerdem das Altstadtleben am Samstagnachmittag und Sonntagvormittag. Unbegrenzt werden Karten für das Lagerleben am Samstag und Sonntag gegen Abend zu je 3 DM verkauft. Für alle anderen Veranstaltungen gibt es noch Restkarten zum Preis von 14–24 DM in der Kartenvorverkaufsstelle in der kleinen Rathausgalerie.

Auskünfte

Verein „Die Förderer", Spiegelgasse 208, 8300 Landshut, Tel. 08 71/2 29 18 oder Verkehrsverein Landshut (Kartenvorverkauf), Altstadt 79, 8300 Landshut, Tel. 08 71/2 30 31.

Die Rückfahrkarte nach Landshut kostet

	2. Klasse		1. Klasse	
ab Hamburg	238,— DM	(202,— DM)	358,— DM	(304,— DM)
ab Berlin	146,60 DM	—	220,— DM	—
ab Hannover	188,— DM	(160,— DM)	282,— DM	(240,— DM)
ab Düsseldorf	196,— DM	(166,— DM)	294,— DM	(250,— DM)
ab Frankfurt	126,— DM	(108,— DM)	190,— DM	(162,— DM)
ab Stuttgart	94,— DM	(80,— DM)	142,— DM	(120,— DM)
ab München	24,— DM	—	36,— DM	—

Die Preise in Klammern gelten für Fahrten mit der Vorzugskarte der DB

---

1. Wie viele Einwohner hat Landshut?

   _____

2. Wieviel kostet eine normale Rückfahrkarte von Düsseldorf nach Landshut (2. Klasse)?

   _____

3. Wie viele Hotels und Gasthöfe gibt es in Landshut und Umgebung und wie teuer sind sie (mit (Frühstück)?

   _____

4. Wann findet *die Landshuter Hochzeit* statt?

   _____

5. An welchem Tag und um wieviel Uhr beginnt der Hochzeitszug (wedding parade)?

   _____

6. Wo kann man Information über *die Landshuter Hochzeit* bekommen?

   _____

Lektion 13

1   Beantworte die folgenden Fragen mit einem ganzen Satz!

1. Gibt es in deiner Gegend ein Café?

_____

2. Was gibt es da alles?

_____

3. Ißt du Kuchen gern?

_____

4. Was trinkst du gern?

_____

5. Gehst du manchmal in die Stadt? Was machst du dort?

_____

6. Arbeitest du während des Sommers? Was machst du dann?

_____

7. Was macht ein Pilot?

_____

8. Wo arbeitet eine Schauspielerin?

_____

9. Was macht eine Verkäuferin?

_____

10. Wo arbeitet ein Lehrer?

_____

2

Was machen diese Leute? Match each description on the right with a job from the left column. You will not need all the items listed.

_____ 1. Friseuse
_____ 2. Musiker
_____ 3. Mechaniker
_____ 4. Flugbegleiterin
_____ 5. Metzger
_____ 6. Polizist
_____ 7. Lehrerin
_____ 8. Sekretärin
_____ 9. Bäckerin
_____ 10. Pilot
_____ 11. Ärztin
_____ 12. Apotheker

a. Brote verkaufen
b. Bücher lesen
c. Wurst machen
d. aufpassen, daß der Verkehr läuft
e. die Haare schön machen
f. das Auto reparieren
g. die Briefe schreiben
h. Segel spannen
i. das Flugzeug fliegen
j. den Touristen das Essen bringen
k. Klavier spielen
l. Tabletten verkaufen
m. die Übungen erklären
n. einem Verletzten (injured) helfen

3

Vervollständige die folgende Unterhaltung!

A: Haben Sie sich schon etwas ausgesucht?

B: _____

A: Den Kuchen haben wir heute leider nicht.

B: _____

A: Ja, gern. Und etwas zu trinken?

B: _____

A: Ich bringe Ihnen sofort alles.

B: _____

_____

A: _____

B: Ja, bitte?

A: _____

B: Einen Kuchen und ein Getränk. Hatten Sie sonst noch etwas?

A: _____

B: Das macht DM 6,30.

A: _____

B: Danke schön. Kommen Sie bald wieder!

A: _____

4 *Wem gehört das?* Indicate to whom these items belong.

    Beispiel: Kassette / mein / Schwester
           Das ist die Kassette meiner Schwester.

1. Auto / sein / Vater

   _____

2. Bücher / unser / Lehrerin

   _____

3. Anzug / Student

   _____

4. Fahrkarten / Touristen

   _____

5. Mantel / Dame

   _____

6. Torten / mein / Bäckerin

   _____

7. Töchter / unser / Onkel

   _____

8. Computer / ihr / Freundin

   _____

5 Complete each sentence by filling in the missing preposition.

  1. Wir erinnern uns gern _____ unsere Ferien.

  2. Warten Sie schon lange _____ den Zug?

  3. Ich muß _____ Frau Riegel übereinstimmen.

  4. Die DDR grenzt _____ Polen.

  5. Herr Holz kann sich nicht _____ diese Reise beklagen.

  6. Erzählen Sie uns doch _____ diesem Ereignis!

  7. Freut ihr euch schon _____ den Flug?

  8. Ein Auto besteht _____ vielen Teilen.

  9. Die Besucher zeigen _____ das historische Gebäude.

10. Die Mädchen verabschieden sich _____ der Familie.

6 Wie heißt das auf deutsch?

1. during the summer

_____

2. his sister's bicycle

_____

3. in spite of this weather

_____

4. because of the game

_____

5. my father's aunt

_____

6. the door of the church

_____

7. the sign of the café

_____

8. our teacher's house

_____

9. their uncle's hotel

_____

10. my brother's room

_____

11. instead of the supper

_____

12. the traffic of the city

_____

7 Fill in the appropriate German verb form.

1. (to look forward to) _____ ihr euch _____ die Ferien?

2. (to write about) Die Touristen _____ diese mittelalterliche Stadt.

3. (to wait for) _____ Sie _____ den nächsten Flug?

4. (to be interested in) Wir _____ uns _____ diesen Tanzunterricht.

5. (to remember) Kannst du dich noch _____ die Hochzeit deines Onkels _____?

6. (to tell about) Warum _____ ihr nichts _____ der Reise?

7. (to talk about) Wir _____ gern _____ diesen Film.

8. (to belong to) Welche Vororte _____ dieser Stadt?

9. (to border on) Deutschland _____ die Schweiz.

10. (to complain about) Er _____ sich oft _____ seine Kinder.

8 Die folgenden Sätze beschreiben *Lesestück 1*. Setze die richtigen Wörter ein!

Taubers wohnen in _____. Heute haben sie vor, nach
_____ zu fahren. Früh am Morgen fahren sie los. Die größte Strecke
fahren sie auf einer _____.

Wie finden Taubers den Hafen? Sie folgen _____. Nicht weit vom Hafen
parken sie ihren Wagen und gehen dann ein paar Minuten zu _____.
Frau Tauber kauft vier _____ an der _____. Für
Ulli ist eine Hafenrundfahrt nicht sehr teuer. Er ist erst _____ Jahre alt.
Taubers müssen nicht lange warten. Eine Barkasse _____ um zehn Uhr
ab. Taubers haben Glück; sie bekommen einen guten _____. Sie können
draußen _____. Von oben können sie alles viel besser
_____.

Herr Tauber hat einen _____. Deshalb kann er seiner Familie die
Hafenrundfahrt _____. Frau Tauber _____ viele
Aufnahmen von den Sehenswürdigkeiten. Sie _____ sehr gern. Sie sehen
ein Boot — es ist grün und _____. Das ist die Farbe der
_____. Im Hafen befinden sich viele Schiffe aus der ganzen
_____.

In einem Dock _____ man Schiffe. An einem anderen Schiff
_____ ein Mann mit Farbe. Die Hafenrundfahrt dauert mehr als eine
_____.

Familie Tauber geht jetzt zum Marktplatz in der _____. Dort sehen sie
das _____. Es ist mehr als 360 Jahre alt. Dort sehen sie auch das
_____ der Bremer Stadtmusikanten. Es erzählt von den vier Tieren —
einem Esel, einem _____, einer Katze und einem Hahn. Nicht weit vom
Marktplatz _____ sie Tauben.

Im Schnoor, einem alten Stadtteil, sind die Straßen sehr _____. Autos
dürfen hier nicht _____. Die Häuser sind sehr
_____. An einem Kiosk kaufen Beate und Ulli ein paar
_____. Beate wird ein paar Karten an ihre Verwandten
_____, aber Ulli möchte sie _____.

9 Wie heißt das auf deutsch?

1. How much are you paying per ticket, Mrs. Händel?

   _____

2. What is he collecting?

   _____

3. She is gone already.

   _____

4. They are pointing to a building.

   _____

5. What's her opinion?

   _____

6. What are you planning after the game, Peter?

   _____

7. He is paying her compliments.

   _____

8. We can't complain about that.

   _____

9. I don't know this fairy tale.

   _____

10. Giesela can't take time off.

    _____

10 Beschreibe diese Wörter oder Namen mit einem ganzen Satz!

1. Vaduz _____
2. Hofbräuhaus _____
3. Briefmarkenmuseum _____
4. Schloß Neuschwanstein _____
5. Schweizer Franken _____
6. Oktoberfest _____
7. Glockenspiel _____
8. Fürst _____
9. Verkehrsbüro _____
10. Lederhose _____

11 Beantworte diese Fragen über *Lesestück 2*!

1. Wie groß ist Liechtenstein?

   _____

2. Wie heißen die Nachbarländer Liechtensteins?

   _____

3. Wie alt ist Liechtenstein?

   _____

4. Wie viele Grenzübergänge gibt es nach Liechtenstein?

   _____

5. Warum kann man nicht nach Liechtenstein fliegen?

   _____

6. Wie kann man nach Liechtenstein kommen?

   _____

7. Was ist das Wahrzeichen der Hauptstadt?

   _____

8. Wer wohnt dort?

   _____

9. Was ist in der ganzen Welt bekannt?

   _____

10. Was ist die offizielle Währung von Liechtenstein?

    _____

11. Wo bekommt man Information über Liechtenstein?

    _____

12. Wo kann man Briefmarken kaufen?

    _____

12 Match each item on the left with a description from the right column.

_____ 1. Viktualienmarkt

_____ 2. Hofbräuhaus

_____ 3. Garmisch-Partenkirchen

_____ 4. München

_____ 5. Oberammergau

_____ 6. Deutsches Museum

_____ 7. Königsee

_____ 8. Englischer Garten

_____ 9. Schloß Nymphenburg

_____ 10. Karlstor

_____ 11. Olympiapark

_____ 12. Schloß Linderhof

_____ 13. Nationaltheater

_____ 14. Marienplatz

_____ 15. Fasching

a. is the capital of Bavaria.

b. is located next to the *Watzmann*.

c. is a huge park.

d. was built in the 19th century by King Ludwig II.

e. is within two minutes from the *Marienplatz*.

f. is located in the Alps, near the *Zugspitze*.

g. attracts many people to its huge beer halls.

h. is the site of the *Neues Rathaus*.

i. is the site of the Passion Play.

j. is a section remaining from a fortification.

k. is a well-known opera house.

l. is the largest technological museum in the world.

m. was the site of the 1972 Summer Olympic Games.

n. was built by King Ludwig I.

o. is the second largest celebration in München.

13 Beantworte die folgenden Fragen über die Stadt Bremen!

Tourist-Info DEUTSCH

Tourist Information des Verkehrsvereins gegenüber dem Hauptbahnhof mit Kartenvorverkauf (Tel. 36 36-1), Mo—Do 8—20, Fr 8—22, Sa 8—18, So 9.30—15.30 Uhr
Stadtrundfahrten (vom ZOB, Bussteig 1, Bahnhofsplatz): Teilnehmerkarten in der Tourist Information, So 10.30 Uhr, Mo—Sa 15 Uhr
Stadtführungen: Insbesondere für Schulen, Gruppen und Vereine nur nach Anmeldung beim Hauptbüro des Verkehrsvereins unter Tel. 36 36-2 20 / 2 22
Hafenrundfahrten (vom Martini-Anleger, 3 Minuten Fußweg vom Markt) durch Schreiber-Reederei (Tel. 32 12 29), 10, 11.30, 13.30, 15.10 (16.30)
Stadtrundflüge, Inselflüge ab Flughafen Bremen, Roland Air   Tel. 04 21 / 55 40 08
Auskunftsstelle des Zentralomnibusbahnhofs (ZOB) am Bahnhofsplatz (Tel. 31 33 30), Mo—So 6—21 Uhr
Rathaus: Führungen jeweils ab Westportal des Alten Rathauses (Änderungen vorbehalten), Mo—Fr 10, 11 u. 12 Uhr, Sa + So 11 u. 12 Uhr

Haus der Bürgerschaft (Parlamentsgebäude am Markt): Führungen (Änderungen vorbehalten), Mo—Fr 10 u. 14.15 Uhr

Dom-Besichtigung Mo—Fr 10—11.45, 14—15.45 Uhr, Sa: 10—11.45 Uhr

Gottesdienst-Kalender: Evang. Kirchen: So 10 Uhr; Kath. Propsteikirche St. Johann: Sa 18, So 8.30, 10, 11.30, 18 Uhr; Mo—Fr 9.15, 18 Uhr; Evang. methodist. Erlöserkirche (Schwachhauser Heerstraße 179): So 10 Uhr; Jüd. Synagoge (Schwachhauser Heerstraße 117): Fr 18.30, Sa 9.30 Uhr

Kunsthalle (Am Wall 207), Tel. 32 47 85, Kupferstichkabinett Di—So 10—16 Uhr; Di + Fr 19—21 Uhr

Gerhard-Marcks-Haus (Am Wall 208), Tel. 32 72 00, Mi—So 10—18 Uhr

Böttcherstraße: Bremens 110 m lange „heimliche" Hauptstraße" mit Museen und Galerien, Theater und Kino, vielen Geschäften, Restaurants und Handwerksbetrieben

Heimatmuseum Vegesack im Schloß Schönebeck (Schönebeck, Im Dorfe 3/5): Gruppenbesichtigungen nach Vereinbarung über Telefon 66 34 32 bzw. 66 15 19, Di, Mi, Sa 15—17 Uhr, So 10—12.30 und 15—17 Uhr

Schnoor-Viertel (hinter der Hauptpost an der Domsheide): Ältestes Bremer Stadtviertel, das laufend restauriert wird, mit Arbeitsstätten von Künstlern und Kunsthandwerkern sowie Gaststätten mit „Pfiff"

Bürgerpark mit Stadtwald (5 Minuten vom Hauptbahnhof): über 800 Morgen großer „englischer" Park mit Wasserzügen, Spielwiesen, Wildgehege und vier Gaststätten (Park Hotel, Kaffeehaus am Emmasee, Meierei und Biergarten Waldbühne), Minigolfplatz und Ruderbootsverleih am Emmasee

Postamt 5 (Bahnhofsplatz 20/21): durch Nachtschalter 24-Stunden-Dienst

Ärztlicher Notdienst: Telefon 34 60 90

Krankentransport: Tel. 3 03 02

1. Wo befindet sich die Tourist Information?

_____

2. Wann ist dieses Büro geöffnet?

_____

3. Was ist das *Schnoor-Viertel*?

_____

4. Um wieviel Uhr kann man Hafenrundfahrten machen?

_____

5. Was gibt es alles im *Bürgerpark mit Stadtwald*?

_____

6. Was ist die Böttcherstraße? Warum ist sie so beliebt?

_____

7. Wann können Besucher das Haus der Bürgerschaft besichtigen?

_____

8. Wo kann man Karten für Stadtrundfahrten bekommen?

_____

9. Wie kann man einen Arzt erreichen?

_____

10. Kann man den Dom jeden Tag besichtigen?

_____

14 Was weißt du über München? Lies den folgenden Artikel und beantworte dann die Fragen!

Wichtige Informationen

Wer mit der Bahn nach München reist, kommt bereits in der Innenstadt an. Hier besteht direkter Anschluß zur S-Bahn (mit 134 Stationen in Stadt und Region), zur U-Bahn und zu den meisten Straßenbahnlinien. Fahrkarten löst man an den blauen Automaten: in den Bahnhöfen der S- und U-Bahn, an den Straßenbahnhaltestellen oder direkt in der Straßenbahn, überall dort wo das weiß-grüne K-Zeichen angebracht ist. Sie haben die Wahl zwischen Einzelfahrt oder Mehrfahrten-Streifenkarten. Wer nicht weit fährt löst »Kurzstrecke« (bezüglich der jeweiligen Reichweite bitte die Informationstafel an der Haltestelle beachten). Wer größere Entfernungen zu fahren hat löst »Langstrecke« und kann damit das gesamte Stadtgebiet durchqueren. Unser Tip: Benützen Sie das ermäßigte 24-Stunden-Ticket. Erhältlich beim Fremdenverkehrsamt, bei allen Fahrkartenvorverkaufsstellen sowie an den Fahrkartenautomaten. Alle Fahrkarten gelten für S-Bahn, U-Bahn, Straßenbahn und Bus. Übrigens, Sie müssen die Fahrkarte bei Fahrtbeginn selbst entwerten: mit den Entwerter-Automaten (gekennzeichnet durch ein schwarz-gelbes E-Zeichen), die an den Sperren der Bahnhöfe, in den Straßenbahnen und in den Bussen angebracht sind. Fluggäste benützen am besten den Flughafenbus, der zwischen Hauptbahnhof und Flughafen verkehrt.

Wichtige Telefonverbindungen: MVV-Münchner Verkehrs- und Tarifverbund: Auskunft über den S-Bahn-Verkehr, Tel. 55 75 75 ✳ Deutsche Bundesbahn: Zugauskunft, Tel. 59 29 91–95 und 59 33 21–23 ✳ Flughafen München-Riem: Flugauskunft, Telefon 92 11 21 27 ✳ ADAC Pannendienst, Telefon 76 76 76 ✳ Städtischer Campingplatz Thalkirchen, Telefon 7 23 17 07 ✳ Ärztlicher Notdienst, Telefon 55 86 61 ✳ Rettungsdienst, Tel. 22 26 66 ✳ Funkstreife, Tel. 110

1. Wie viele Stationen mit direktem Anschluß zur S-Bahn gibt es in München?

   _____

   _____

2. Welche Farbe hat das ,,E'' auf dem Entwerter-Automaten?

   _____

3. Wo kann man das 24-Stunden-Ticket kaufen?

   _____

   _____

4. Wo liegt der Städtische Campingplatz?

   _____

5. Auf welchen Verkehrsmitteln kann man mit einer Fahrkarte fahren?

   _____

6. Wann kauft man eine Fahrkarte für ,,Kurzstrecke''?

   _____

7. In welchem Vorort liegt der Flughafen?

   _____

15 Kreuzworträtsel

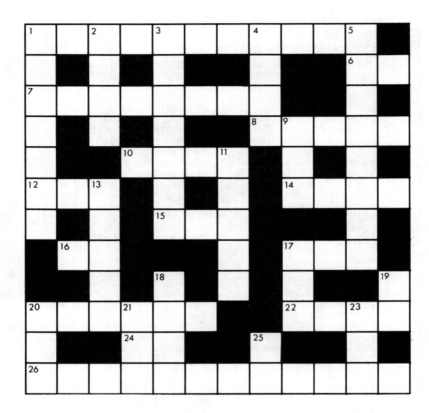

Waagerecht

1. Die meisten Touristen besuchen den _____ in München.
6. Wann kommt ihr bei uns _____?
7. Ein Beruf.
8. Wie alt ist _____ Schwester?
10. Ein Mensch hat zwei _____.
12. Wie geht es dir? Sehr _____.
14. Ich spiele Tischtennis _____.
15. Wir interessieren _____ dafür.
16. _____ ist noch nicht da.
17. _____ Ihnen das geschmeckt?
20. Gefällt dir _____ Mantel hier?
22. Der Herr und die _____ gehen nicht sehr oft ins Café.
24. _____, E, _____, O, U.
26. Ein Beruf.

Senkrecht

1. Man trinkt diesen Kaffee besonders in Österreich.
2. Wir müssen uns beeilen. Immer mit der _____!
3. Frau Brunner ist die _____ von Herrn Brunner.
4. Italien ist ein _____.
5. Mein _____ hat mir gesagt, ich soll mir meine Zähne gut putzen.
9. In Rothenburg sind viele Straßen sehr _____.
11. Ich habe Hunger. Um wieviel Uhr _____ wir denn?
13. Die Sacher_____ ist ganz bekannt.
17. ,,Hatte" auf englisch.
18. Wie _____ ist die Stadt von hier entfernt?
19. ,,Mich" auf englisch.
20. _____ Fleischer hat immer gute Wurst.
21. Sehen, _____, gesehen.
23. Fünf _____ sechs ist dreißig.
25. Herr und Frau Stainer gehen _____ ein Café.

Lektion 14

1 Beantworte die folgenden Fragen mit einem ganzen Satz!

1. Bekommst du oft Post?

_____

2. Was für Post bekommst du meistens?

_____

3. An wen schreibst du manchmal?

_____

4. Was muß man alles auf einen Briefumschlag schreiben?

_____

5. Was kann man auf der Post kaufen?

_____

6. Was für Post bringt der Briefträger meistens?

_____

7. Warum schicken manche Leute ein Telegramm anstatt eines Briefes?

_____

8. Wann schickt man ein Paket anstatt eines Päckchens?

_____

2 Beschreibe diese Wörter mit einem ganzen Satz!

1. Luftpost _____

2. Postamt _____

3. Postkarte _____

4. Brief _____

5. Sparkonto _____

6. Empfänger _____

3 Vervollständige die folgende Unterhaltung!

A: _____

B: Soviel Post für mich?

A: _____

B: Ach, der Brief ist von meinem Freund aus Deutschland.

A: _____

B: Wir kennen uns schon ein paar Jahre. Er hat ein Jahr bei uns gewohnt.

A: _____

B: Nein, wir schreiben uns immer auf deutsch.

A: _____

B: Er kann Englisch sehr gut verstehen, aber ich brauche viel Übung auf deutsch.

A: _____

B: Ein Paket? Wer hat das wohl geschickt?

A: _____

B: Ich glaube nicht. Es ist bestimmt ein Geburtstagsgeschenk.

A: _____

B: Nächste Woche, am Samstag.

A: _____

B: Danke schön.

A: _____

B: Die ist bestimmt vom Reisebüro. Wir haben eine Ferienreise geplant.

A: _____

B: Spaß werden wir sicher haben, nur die Rechnung gefällt mir nicht.

4 Wie heißt das auf deutsch?

1. What is her first name?

_____

2. Are you thinking about his party?

_____

3. I don't know the area code.

_____

4. We are looking forward to our trip.

_____

5. Can you put the postcard into the mailbox, Erika?

_____

6. Do you want to make a long distance call?

_____

7. You have to lift the receiver.

_____

8. Is the Weber family on a vacation trip?

_____

9. That's no surprise.

_____

10. They like to please her.

_____

5 Complete each sentence by filling in a noun and an adjective. Use a different noun and adjective for each sentence.

1. Wo ist _____?
2. Hast du _____ gesehen?
3. Wir haben _____ geschrieben.
4. Wollen Sie _____ anprobieren?
5. Ich habe _____ gekauft.
6. Der Herr hat mit _____ gesprochen.
7. Was macht ihr nach _____?
8. Die Touristen sind durch _____ gefahren.
9. _____ ist nicht schön.
10. Wir sollen _____ lesen.

6 *Schreibe einen Brief an deinen Freund oder deine Freundin!* Your letter should include any or all of the following details:

You have saved some money to visit your friend and are writing to tell him/her that you would like to pay him/her a visit. You're trying to find out when it would be most convenient for him/her to have you stay for a week or so. You provide some travel details and suggestions about when you would prefer to come. Furthermore, you tell your friend that s/he might want to stay with you in the future.

7 Identify the various people listed below.

Friseuse	Brieffreundin	Jugendliche
Flugbegleiter	Herbergsvater	Verkäuferin
Briefträger	Fürst	Fleischer
Polizisten	Pilot	Ausländer
Experte	Bräutigam	Kunden

1. Der _____ wohnt in einem Schloß.

2. Er ist ein _____ in seinem Fach.

3. Die _____ kämmt mir die Haare sehr gut.

4. Woher kommen die Besucher? Aus Frankreich. Sie sind _____.

5. Der _____ hat gesagt, daß wir einen Jugendherbergsausweis brauchen.

6. Für _____ ist dieser Film preiswerter als für Erwachsene.

7. Der _____ fliegt die Leute nach Österreich.

8. Der _____ gibt ihr den Trauring.

9. Die _____ sperren die Straße ab. Jetzt darf niemand mehr durchfahren.

10. Sie arbeitet im Kaufhaus. Sie ist eine _____ dort.

11. Ich schreibe Anna sehr oft. Sie ist meine _____.

12. Der _____ sagt den Fluggästen, wann sie landen werden.

13. Er bringt die Post schon früh am Morgen. Er ist der _____.

14. Die Besitzerin hat viele _____. Sie kaufen gern bei ihr ein.

15. Bei ihm kaufen wir immer unseren Schinken. Derr Herr ist ein _____.

8 Fill in the proper form of the adjective and noun for each sentence.

1. Während (die Tage / kühl) _____ gehen wir nicht an den Strand.

2. Ich möchte (der Junge / klein) _____ einladen.

3. Sie fahren durch (diese Stadt / alt) _____.

4. Mit (welche Freundin / neu) _____ geht er denn ins Kino?

5. Hast du (die Zeitungen / international) _____ gelesen?

6. Hat der Briefträger (dieses Paket / groß) _____ mitgebracht?

7. Trotz (das Wetter / schlecht) _____ machen wir eine Reise.

8. Die Kunden kommen aus (die Gebäude / hoch) _____.

9. Ich danke dir für (dieses Geschenk / schön) _____.

10. Wir können (die Hemden / weiß) _____ einfach nicht finden.

11. (Welches Museum / modern) _____ habt ihr besucht?

12. Haben Sie von (das Geschäft / teuer) _____ gehört?

9 Die folgenden Sätze beschreiben *Lesestück 1*. Setze die richtigen Wörter ein!

1. Herr Hofer gibt einem Autofahrer _____.

2. Er steckt einen _____ in den Briefkasten.

3. Herr Hofer muß eine _____ ausfüllen.

4. Ein Beamter legt das Paket auf eine _____.

5. Er schreibt das _____ auf das Paket.

6. Herr Hofer braucht _____ für seine Briefe und Postkarten.

7. Er will auch noch ein _____ führen.

8. Herr Hofer findet die Telefonnummer im _____.

9. An einem _____ gibt er einem Beamten die Telefonnummer.

10. In einer Telefonzelle hebt er den _____ ab und führt dann sein Gespräch.

10 Die folgenden Sätze beschreiben *Lesestück 2*. Setze die richtigen Wörter ein!

Es gibt _____ Mannschaften in der Bundesliga. Die Fußballmannschaften spielen gewöhnlich am _____. Heute ist das Stadium nicht sehr _____. Das _____ ist einfach zu trübe und regnerisch. Die Frankfurter _____ kommen schon eine halbe _____ vor dem Spiel. Viele Zuschauer _____ ihre Autos in der Nähe des Stadions. Es gibt nicht viele _____ am Stadion.

Die _____ sind sehr billig. Manche Zuschauer ziehen aber Sitzplätze vor. Die _____ natürlich mehr. An _____ können die Leute etwas essen und _____.

Auf einer großen Tafel gibt man Einzelheiten des Spiels _____. Endlich laufen alle _____ auf den Fußballplatz. Sie laufen sich zuerst _____. In einem Fußballspiel hat jede Mannschaft elf Spieler. Dann gibt es einen _____ und zwei Linienrichter. Die Spieler (außer dem _____) spielen fast nur mit dem Fuß. Manchmal kommt der Ball zu hoch. Dann müssen sie ihn _____. In der _____ steht es 0:0.

In der zweiten Hälfte schießt _____ 7 das erste Tor. Die Zuschauer jubeln und _____ ihre Fahnen. Aber schon ein paar Minuten später _____ ein Bielefelder ein Tor. Das Spiel ist jetzt _____.

Kurz vor dem Ende des Spiels schießt ein _____ der Frankfurter Mannschaft ein Tor. Der Bielefelder Torwart hat keine _____. Auf einer _____ steht das Endergebnis — Eintracht- _____ 2:1.

11 Beantworte die folgenden Fragen über *die Kulturecke* auf deutsch!

1. Was machen die Jugendlichen in der DDR am Wochenende (weekend)?

_____

2. Wer hat den größten Einfluß auf (influence on) die Jugendlichen?

_____

3. Was machen viele Kinder während des Sommers?

_____

4. Bezahlen die meisten Kinder den Aufenthalt (stay) in einem Pionierlager?

_____

5. Was machen die älteren Teenager lieber?

_____

6. Zu welcher Organisation gehören viele Kinder zwischen sechs und vierzehn Jahren?

_____

7. Wie viele Jugendklubs gibt es in der DDR?

_____

8. Wer sind *die Jungen Pioniere*?

_____

9. Was ist der Pionierpalast in Berlin (Ost)? Beschreibe ihn!

_____

10. Was machen die Kinder dort?

_____

11. Was kann man alles in diesem Gebäude sehen?

_____

12. Gehen die Kinder und Jugendlichen hier zur Schule?

_____

12 Ein Telegramm
Fill out the form below to send an important message to someone you know.

Telegramm	**Deutsche Bundespost**	Verzögerungsvermerke		

Datum	Uhrzeit	Empfangen von	Leitvermerk		Datum	Uhrzeit
Empfangen					Gesendet	
Platz	Namenszeichen				Platz	Namenszeichen

Bezeichnung der Aufgabe-TSt	Aufgabe-Nr.	Wortzahl	Aufgabetag	Uhrzeit	Via/Leitweg
aus **Darmstadt 11**					

Die stark umrahmten Teile sind vom Absender auszufüllen. Bitte Rückseite beachten.

Gebührenpflichtige Dienstvermerke

=   =

Name des Empfängers, Straße, Hausnummer usw.

Bestimmungsort – Bestimmungs-TSt

Wortgebühren	.... DM .... Pf	...........Wörter geändert...............	**Absender** (Name und Anschrift, ggf. Ortsnetzkennzahl und Fernsprechrufnummer; **diese Angaben werden nicht mittelegrafiert**)
Sonstige Gebühren	.... DM .... Pf	...........Wörter gestrichen...............	
Zusammen	.... DM .... Pf	...........Wörter hinzugesetzt...............	
Angenommen	....	**Auf ungenügende Anschrift/ Dienstzeit hingewiesen**	

13 Eine Paketkarte

You have gone to a German post office to send a package to a friend of yours. The clerk gives you a *Paketkarte* and asks you to fill it out. Fill in the necessary information on the form provided.

Ein-lieferungs-schein	Zum Aufkleben	des Nummernzettels	**Paketkarte**	Zum Aufkleben der Zettel für besondere Versendungsformen

Bitte sorgfältig aufbewahren

Absender

Wert (in Ziffern)	Entrichtete Gebühr
DM	Pf

Gebühr (Pf)	Vermerke über besondere Versendungsformen und Vorausverfügungen (s. Rückseite)

Empfänger

Gewicht (kg)	Empfänger

(Straße und Hausnummer, „Paketausgabe" oder „Postlagernd")

Gewicht bei Paketen mit Wertangabe

kg	g

Postannahme

(Postleitzahl)   (Bestimmungsort)

Zum Aufkleben der Zettel für besondere Versendungsformen

14 Auf der Post
Sieh dir das Bild an und beantworte dann die Fragen!

1. Zu welchem Schalter soll man ein Paket bringen?

   _____

2. An welchem Schalter kauft man Briefmarken?

   _____

3. Wo befindet sich ein Telefon?

   _____

4. Was macht der Herr an dem Tisch?

   _____

5. Wo kann man Briefe einwerfen?

   _____

6. Wieviel Uhr ist es?

   _____

7. Wie viele Personen siehst du auf diesem Bild?

   _____

8. Wie viele Leute stehen am Schalter 1?

   _____

15 Ein Fußballspiel

Study the ticket and the starting line-up below and then answer the questions that follow.

1. Um wieviel Uhr hat dieses Spiel begonnen?

    _____

2. Wo hat dieser Zuschauer gesessen?

    _____

3. Wie heißt der Frankfurter Trainer (coach)?

    _____

4. Wie viele Zuschauer sind zu diesem Spiel gekommen?

    _____

5. Wie heißt der Bielefelder Torwart?

    _____

6. In der zweiten Halbzeit spielt ein anderer Spieler für Lienen. Wie heißt er?

    _____

7. Wieviel hat diese Karte gekostet?

    _____

8. Wo ist dieses Spiel gewesen?

    _____

9. Wie heißt der Schiedsrichter und woher kommt er?

    _____

10. Wer hat eine gelbe Karte (warning) bekommen?

    _____

16 Was ist im Pionierpalast los? Lies die folgende Information und beantworte dann die Fragen!

Sport in den Ferien

Nutzt auf dem Spielplatz die Übungs-
plätze für Kegeln, Tischtennis, Boc-
cia, Schach und Minigolf zu lustigen
Spielen und Wettbewerben. Bei un-
günstigem Wetter erwarten wir Euch
in unserer Sporthalle.
Klassen 1 bis 10
4. 7. bis 19. 8.
montags bis freitags,
10.00 bis 17.00 Uhr

Wer wird Ferienmeister?

Jeder, der Lust hat, kann dabeisein.
Meldung jeweils zu Beginn des Wett-
bewerbes.
Kegeln
Klassen 4 bis 10
28. 7. 10.00 Uhr
Fußball
Klassen 6 bis 9
7. 7. 15.00 Uhr
Federball
Klassen 4 bis 10
21. 7. und 4. 8.
10.00 Uhr Klassen 4 bis 7
14.00 Uhr Klassen 8 bis 10
Tischtennis
Klassen 3 bis 10
14. 7. und 11. 8.
10.00 Uhr Klassen 3 bis 7
14.00 Uhr Klassen 8 bis 10

Läufertag

Wer Spaß am Laufen hat, kann
seine Kräfte mit anderen Mädchen
und Jungen im Kurzstrecken-Mehr-
kampf und in der Gruppen-Pendel-
staffel messen.
Klassen 1 bis 8
29. 7.
10.00 Uhr Klassen 1 bis 4
14.00 Uhr Klassen 5 bis 8

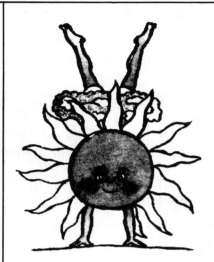

Werfertag

Bei sportlichen Wurf- und Stoßwett-
bewerben könnt Ihr den Spartakiade-
teilnehmern nacheifern.
Klassen 2 bis 10
5. 8.
10.00 Uhr Klassen 2 bis 6
14.00 Uhr Klassen 7 bis 10

Treffpunkt Schwimmhalle

Feriengruppen und Einzelbesucher
können sich bei lustigen Spielen und
Wettbewerben im Wasser tummeln.
4. 7. bis 21. 8.
(außer 13. 7. und 18. 8.),
montags, 13.00 bis 17.00 Uhr
dienstags bis freitags,
10.00 bis 17.00 Uhr

Volkstümliches Wasserballturnier

Übt Euch im Wasserballspielen nach
Volkssportregeln! Wir starten ein
Turnier mit einer Spielzeit von 2mal
5 Minuten.
Klassen 1 bis 10
14. 7., 28. 7. und 11. 8.
15.00 Uhr

1. An welchen Tagen und um wieviel Uhr kann man im Juli und August in der Schwimmhalle (swimming pool) schwimmen?

   _____

2. Welche Klassen können beim Fußballwettbewerb mitmachen?

   _____

3. Wo sollen sich die Jugendlichen zum Tischtennis spielen treffen, wenn das Wetter schlecht ist?

   _____

4. An welchen Tagen gibt es einen Wettbewerb für Federball? Welche Klassen können mitmachen?

   _____

5. Wie lange dauert das Wasserballspiel? Um wieviel Uhr findet es statt?

   _____

6. Nehmen nur Jungen am Läufertag teil?

   _____

7. Um wieviel Uhr treffen sich Kinder im Alter von (at an age of) zehn Jahren am Werfertag (throwers' day)?

   _____

17 Kreuzworträtsel   (SS = ß)

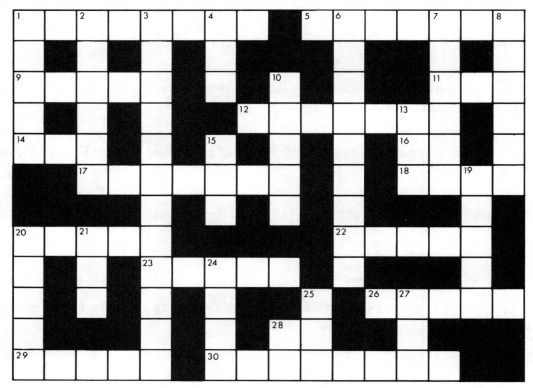

Waagerecht

1. Schicken Sie die Post lieber per _____.
   Dann ist sie schon in zwei Tagen da.
5. Herr Hofer soll in die freie Zelle gehen
   und dann den Hörer _____.
9. Die Spielzeit _____ Fußballspiels ist
   neunzig Minuten.
11. Wohin seid _____ gefahren?
12. Wie heißt die _____, wo du wohnst?
14. „Krawatte" auf englisch.
16. „Von" auf englisch.
17. Wer ist bei deiner Party gewesen? _____
    ist gekommen.
18. Habt ihr das Spiel gesehen? _____, leider
    nicht.
20. Fußball ist der beliebteste _____ in
    Deutschland.
22. Der Propeller _____ Schiffes ist sehr
    groß.
23. Der Beamte bittet Herrn Hofer, in eine
    _____ zu gehen.
26. Wie _____ Spieler hat eine
    Fußballmannschaft?
28. Wo ist das Rathaus? Gleich _____
    drüben.
29. Schreib dieses Wort an die _____!
30. Welche _____ Stadt liegt am Rhein?

Senkrecht

1. Die Post _____ den Briefkasten ein paar
   Mal am Tag.
2. Wo ist mein Fußball? Ich kann ihn
   einfach nicht _____.
3. Auf dem Briefumschlag steht die _____
   links neben dem Namen der Stadt.
4. „Sitzen" auf englisch.
6. Meine Verwandten und _____ werden zu
   unserer Hochzeit kommen.
7. Stecken Sie bitte die _____ in den
   Briefkasten!
8. Lübeck ist ein Stadt im _____
   Deutschlands.
10. Augsburg ist eine _____.
13. „Sohn" auf englisch.
15. Das Spiel _____ sehr interessant.
19. Rügen ist eine _____.
20. Ihr _____ schon um neun Uhr zu Hause
    sein.
21. Grainau ist ein kleiner _____ in
    Süddeutschland.
24. Welches kleine _____ grenzt an die
    Schweiz?
25. Heiko _____ keine Zeit, das Paket zur
    Post zu bringen.
27. _____ werde sie sofort anrufen.
28. Was hast _____ heute vor?

Lektion 15

1 Vervollständige die folgenden beiden Unterhaltungen! Schreibe ganze Sätze!

A: Wieviel kostet denn der Eintritt in den Zoo?

B: _____

A: Ist es für Jugendliche nicht preiswerter?

B: _____

A: Ja, einen Ausweis habe ich.

B: _____

A: Nein, mein Freund ist schon 18.

B: _____

A: Schade.

_____

Question

C: _____

A: Ich mache Aufnahmen von den Tigern.

C: _____

A: Die Elefanten habe ich schon geknipst.

C: _____

A: Ich möchte noch gern die Fische sehen.

C: _____

A: Dafür haben wir leider keine Zeit.

C: _____

2 *Wie heißen diese Tiere auf deutsch?* Write both the article and the plural form.

1. cow _____

2. pig ___das Schwein_____

3. snake _____

4. lion ___der Löwe_____

5. horse ___das Pferd_____

6. fish _____

7. goat _____

8. dog ___der Hund_____

9. monkey _____

10. sheep ___das Schaf_____

3 In einem Haus
Setze die richtigen Wörter ein!

Stuhl	Bild	Kommode
Schrank	Sofa	Kopfkissen
Bücherregal	Plattenspieler	Lampe
Fernsehapparat	Sessel	Radio

1. Auf diesem ____Bild____ sind meine Großeltern. Man hat diese Aufnahme am Hochzeitstag gemacht.

2. Kannst du diese Kassette spielen? Nein, leider nicht. Ich habe nur einen ____Plattenspieler____.

3. Meine Mutter hat mir ein neues ____Kopfkissen____ gekauft. Jetzt kann ich besser schlafen.

4. Sehen wir uns doch den tollen deutschen Film an! Das können wir nicht, ich habe keinen ____Fernsehappart____.

5. Wo sind denn deine Anzüge? Im ____Schrank____.

6. Meine drei Freundinnen sind schon da. Sie sitzen alle auf dem ____Sofa____.

7. Ich kann leider nicht sitzen. Es gibt hier keinen ____Stuhl____.

8. Du kannst doch gar nichts sehen. Du brauchst eine ____Lampe____.

9. Mein Vater kommt um fünf nach Hause. Dann sitzt er oft in diesem ____Sessel____ und liest die Zeitung.

10. Hast du die Nachrichten im ____Radio____ gehört.

11. Wo sind denn deine Strümpfe? In der ____Kommode____.

12. Ihre Schulbücher stehen auf dem ____Bücherregal____.

4 Fill in the necessary endings for the articles and adjectives.

masculine

1. Hast du d_en_ interessant_en_ französisch_en_ Film gesehen?

2. Wir suchen uns ein_en_ sonnig_en_ Platz aus.   – *der*

3. Wie gefällt dir mein_—_ rot_es_ Fahrrad?   – *Neuter*

   + die der der die   F

dative 4. Mit welch_er_ alt_en_ Freundin ist er gekommen?

5. Die Autobahn ist sehr wichtig für d_en_ deutsch_en_ Verkehr.

6. Bei d_em_ nächst_en_ Fußballspiel will er mitmachen.

7. Ich bringe euch ein_—_ groß_es_ Paket mit.

8. Der Sonntag war kein_en_ schön_er_ Tag.

9. D_as_ amerikanisch_e_ Flugzeug landet in Wien.

10. Sie sind ohne ihr_e_ gut_en_ Freunde nach Europa geflogen.

11. Wir wohnen bei ein_er_ groß_en_ Stadtmauer.

12. Ein_e_ bekannt_e_ Schauspielerin ist hier gewesen.

13. Viele italienisch_e_ Touristen kommen jedes Jahr zu dies_er_ mittelalterlich_en_ Stadt.

14. Erklären Sie bitte dies_en_ schwer_en_ Satz!

15. Unser_e_ neu_e_ Gruppe spielt modern_e_ Musik.

5 Wie heißt das auf deutsch?

1. Who is thirsty?

   Wer hat durst

2. They don't have enough room.

   Sie haben nicht genug platz

3. We don't like to chat with them.

   Wir klader nich gern mit ihnen

4. Why don't you move closer, Mr. Reinhard?

   _____

5. These two countries merged.

   _____

6. Where are the prices posted?

   _____

7. We renovated our house.

   _____

8. They are raising animals.

   _____

6 Beantworte die folgenden Fragen mit einem ganzen Satz!

1. Was für Musik hast du gern?

   _____

2. Was für ein Tier hast du am liebsten? Warum?

   _____

3. Wo gibt es in deiner Gegend einen Zoo? Was für Tiere gibt es dort?

   _____

4. Was steht alles in deinem Zimmer?

   _____

5. Beschreibe das Wohnzimmer in deinem Haus oder in deiner Wohnung!

   _____

7 Unscramble the following words. The words formed will be the names of animals.

1. Z K T E A _____*Katze*_____
2. R Ä B _____*Bär*_____
3. H H N U _____*Huhn*_____
4. S L E E _____*Esle*_____
5. A E E T F L N _____*Elefant*_____
6. G V L O E _____*vogel*_____
7. L O F W _____*wolf*_____
8. E B Z R A _____*zebra*_____
9. C A N S E H L G _____*schlange*_____
10. S I C F H _____*fisch*_____

8 Change all the elements in the following sentences from singular to plural. If a cue word is provided, complete the sentence in the plural.

Beispiel: Der rote Wagen steht dort drüben.
Ein paar _____
Ein paar rote Wagen stehen dort drüben.

1. Der Herr erklärt dem deutschen Besucher die mittelalterliche Stadt.

_____

2. Rote Farbe gefällt mir gut.

_____

3. Ein gutes Buch kann ich schon gebrauchen.

Einige _____

4. Wir lesen keine wichtige Zeitung.

_____

5. Ein amerikanischer Zuschauer kommt zu diesem interessanten Spiel.

Viele _____

6. Die blaue Bluse steht dem kleinen Mädchen gut.

Wenige _____

7. Wer knipst das große Tier?

_____

8. Ein kluger Schüler kann die schwere Aufgabe lösen.

Ein paar _____

9 Die folgenden Sätze beschreiben *Lesestück 1*. Setze die richtigen Wörter ein!

1. Ostrau ist das Zentrum von zehn anderen _____ in der Gegend.

2. Im Gemeindeverband Ostrau wohnen ungefähr 10 000 _____.

3. Ostrau liegt im _____ Leipzig.

4. Herr Fankhähnel ist der _____ von Ostrau.

5. Die Ostrauer kaufen alles im _____.

6. Die meisten Einwohner wohnen nicht in Häusern, sondern in _____.

7. Man hat eine alte _____ renoviert. In zwei Jahren werden dort ein paar Familien wohnen.

8. Ein paar Familien können jedes Jahr neue _____ bauen.

9. Im Dorf gibt es zwei _____.

10. In der _____ spielen Schüler Tischtennis.

11. Nach der Arbeit gehen viele in eine _____.

12. Ostrau ist eine typische _____ in der DDR.

10 Complete each expression by matching it to the appropriate word on the left side.

1. schriftliche Arbeiten _____

2. den Flur _____

3. sich Bücher _____

4. Bekanntmachungen _____

5. für Ordnung _____

6. auf der Hochschule _____

7. alles alphabetisch _____

8. das Essen _____

9. Getreide _____

10. mit Freunden _____

11. am Schalter lange _____

12. sehr alt _____

13. eine Strecke mit dem Fahrrad _____

14. ein paar Minuten zu Fuß _____

warten
sorgen
gehen
machen
anordnen
reinigen
fahren
plaudern
ausleihen
sein
studieren
anpflanzen
anschlagen
bekommen

11 Describe the following items briefly, based on the *Kulturecke*.

1. Konsumgenossenschaft _____

_____

2. HO _____

_____

3. Feinbäckerei _____

_____

4. Capitol _____

_____

5. Sächsische Schweiz _____

_____

6. Jugendklub _____

_____

7. Mark _____

_____

8. Fachwerkhäuser _____

_____

12 Sieh dir die Bilder an! Dann beschreibe jedes Bild mit einem Satz!

1. _____

2. _____

3. _____

4. _____

5. _____

6. _____

7. _____

8. _____

9. _____

13 *Was ist im Gemeindeverband Ostrau los?* Look at the activities scheduled and then answer the questions that follow.

1. Höhepunkte des geistig-kulturellen Lebens im Gemeindeverband Ostrau

12.–17. April	Ausstellung „Freizeit, Kunst und Lebensfreude" in Ostrau, KG **Wilder Mann**
April 1983	Filmfrühling auf dem Lande Eröffnung in der Gaststätte **Zur Kastanie** Ostrau OT Wutzschwitz
April–Mai	Ausstellung „Kleine Galerie" im VEB Ostrauer Kalkwerke
1. Mai	Schrebitz und Zschaitz Volksfest
13.–15. Mai	Ostrau, OT Zschochau Wohngebietsfest
27.–29. Mai	Jahna-Pulsitz Dorffest
3.–5. Juni	Noschkowitz Reit- und Springturnier

Bibliotheken

Öffnungszeiten von
Zentralbibliothek Ostrau

	Montag und Donnerstag	13–18 Uhr
Zschaitz	Mittwoch	16.30–19 Uhr
Beicha	Dienstag	15–17 Uhr
Gallschütz	Dienstag	15–17 Uhr
	Donnerstag	10–12 Uhr
Dürrweitzschen	Mittwoch	14–15 Uhr

Tanzveranstaltungen

Februar

4.	Jugendtanz	**Wilder Mann** Ostrau	Disko Power
5.	Jugendtanz	**Gaststätte Schrebitz**	Disko Team 74
5.	Jugendtanz	**Zur Post** Zschaitz	Disko Selekt
5.	Fam.-Fasching	**Wilder Mann** Ostrau	Kapelle Flamingo
6.	Jugendtanz	**Wilder Mann** Ostrau	Disko Issing, Dresden
11.	Jugendtanz	**Wilder Mann** Ostrau	Disko Musik-Boutique
12.	Faschingstanz	**Gr. Aue** Obersteina	
12.	Jugendtanz	**Gaststätte Schrebitz**	Disko Kontakt, Hartha
12.	Jugendtanz	**Zur Post** Zschaitz	Disko Open-Air, Karl-Marx-Stadt
13.	Jugendtanz	**Wilder Mann** Ostrau	Disko Feuer, Dresden
14.	Jugendtanz	**Wilder Mann** Ostrau	Disko Atlantis, Oschatz
14.	Jugendtanz	**Gaststätte Schrebitz**	Disko Kontakt
15.	Jugendtanz	**Wilder Mann** Ostrau	Disko Traffic
16.	Kindernachmitt.	**Zur Post** Zschaitz	Marionettenbühne
18.	Jugendtanz	**Wilder Mann** Ostrau	Disko Computer, Torgau
19.	FFw-Vergnügen	**Gaststätte Schrebitz**	
19.	Familientanz	**Zur Post** Zschaitz	Kapelle Rubin
20.	Kinderfasching	**Wilder Mann** Ostrau	Kleinprogramm KGD und Kleine Galerie
20.	Jugendtanz	**Wilder Mann** Ostrau	Disko Progressiv

1. Welche Kapelle spielt am 5. Februar? In welchem Dorf spielt sie?

   _____

2. An welchem Tag und um wieviel Uhr ist die Bibliothek in Beicha geöffnet?

   _____

3. Was findet vom 27. bis zum 29. Mai in Jahna-Pulsitz statt?

   _____

4. Wo ist das Volksfest am 1. Mai?

   _____

5. In welcher Gaststätte ist der Jugendtanz am 14. Februar?

   _____

6. An welchem Datum gibt es in Ostrau ein besonderes Programm für Kinder?

   _____

7. An welchen beiden Tagen kann man die Bibliothek in Gallschütz besuchen?

   _____

8. Wann ist die ,,Disko Open-Air'' in Zschaitz? Woher kommt diese Band?

   _____

9. Was für ein Tanz findet am 19. Februar statt? Welche Kapelle spielt an dem Tag?

   _____

10. Was findet am 3. Juni statt?

   _____

14 Kreuzworträtsel

(UE = Ü, SS = ß)

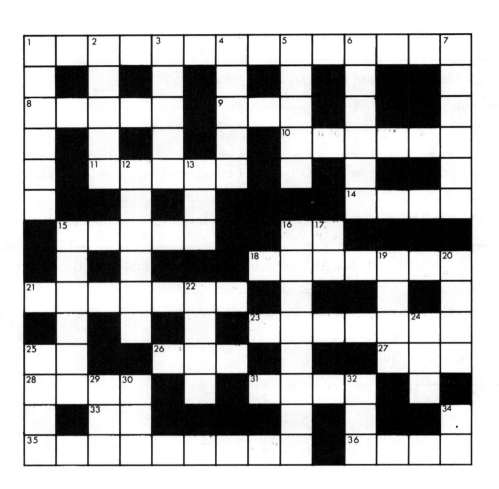

Waagerecht

1. Spielt die Musik im Radio? Nein, ich habe einen neuen _____.
8. Ein Nachbarland der DDR.
9. Mein Onkel und meine Tante besuchen _____ nächste Woche.
10. _____ Länder grenzen an Österreich.
11. Wie gefallen dir die gelben Pullover? Nicht so gut wie die _____.
14. Bist du mit deiner Arbeit fertig? _____, leider noch nicht.
15. Angelika hat immer gute _____ in der Schule.
16. ,,Gehen'' auf englisch.
18. Wann _____ Wolfgang sein neues Auto?
21. Wo ist ein Café? Gleich dort _____.
23. Wie heißen deine _____? Horst und Werner.
25. ,,Sein'' auf englisch.
26. ,,Aß'' auf englisch.
27. _____ Hamburger Zoo ist ganz bekannt.
28. Am _____ der Reise sind alle sehr müde.
31. _____ du schon einmal in diesem kleinen Dorf gewesen?
33. A, _____, _____, O, U.
35. Die Schüler spielen Tischtennis in der _____.
36. Bringen Sie mir bitte ein _____ Wasser!

Senkrecht

1. Ich brauche _____. Ich will einen Brief schreiben.
2. Ein großer Vogel.
3. _____ Helga gern? Ja, besonders zu amerikanischer Musik.
4. Kennst du den _____ Schüler? Nein, er ist erst seit Montag in unserer Schule.
5. Der Anzug _____ dir sehr gut.
6. Ein Vater und eine Mutter.
7. Heute scheint die Sonne, aber morgen soll es _____.
12. Rügen ist eine Insel in der _____.
13. Hat sie _____ Fahrrad?
15. Kiel ist eine Stadt im _____ der Bundesrepublik.
16. In der Ostrauer Gegend pflanzt man _____ an.
17. ,,In Ordnung'' auf englisch.
19. Man spricht mit dem _____.
20. Sehen Sie die _____? Dort müssen Sie hineingehen.
22. Die _____ schwimmt im Wasser.
24. Kannst du _____ Herrn helfen?
25. Das _____ steht im Schlafzimmer.
29. Wem gehört _____ Hund?
30. Hast du _____ Lineal?
32. Guten _____, Frau Schuster.
34. Wie geht _____ dir?

15 Rätsel

In the letters below you will find words for fourteen different animals. The letters may go backwards or forwards; they may go up, down, across, or diagonally. However, they only go one way in any word. (Note: AE = Ä, OE = Ö)

```
A  O  N  G  K  E  W  O  N  M  D  F  L  V  J
F  V  F  U  L  T  B  K  C  O  C  W  F  E  M
H  G  M  E  P  F  E  R  D  X  P  D  D  Q  F
I  N  B  J  Y  N  I  A  N  S  F  H  E  R  E
J  A  R  A  T  W  G  P  U  A  N  R  L  O  I
L  L  R  E  A  B  M  T  H  F  I  E  E  J  S
A  S  H  K  F  I  S  C  H  F  G  G  F  A  L
K  L  W  O  L  F  S  G  B  E  M  I  A  F  E
P  H  D  L  E  G  O  V  I  W  C  T  N  J  U
R  V  L  O  E  W  E  Z  T  A  K  I  T  K  J
N  F  B  R  F  N  U  A  C  O  T  D  M  P  R
V  P  G  C  G  B  J  H  F  F  C  B  B  I  E
```

Lektion 16

1 Beantworte die folgenden Fragen mit einem ganzen Satz!

1. Was ißt du heute?

_____

2. Was möchtest du trinken?

_____

3. Kochst du gern? Wer kocht meistens in deiner Familie?

_____

4. Was schmeckt dir gut?

_____

5. Was kann man alles in einem Restaurant bestellen?

_____

6. Gibt es in deiner Gegend Restaurants? Gehst du manchmal dorthin?

_____

2 Setze in jedem Satz das richtige Wort ein!

1. Ich trinke heißen Kaffee aus einer _____.

2. Sie schneidet (cuts) das Fleisch mit einem _____.

3. Die Kellnerin bringt das Wiener Schnitzel auf einem _____.

4. Er trinkt Cola aus einem _____.

5. Die Suppe ist in einer _____.

6. Ich esse die Gemüsesuppe mit einem _____.

7. Die Deutschen halten das Messer in der rechten und die _____ in der linken Hand.

8. Die Kaffeetasse steht auf einer _____.

3 Vervollständige die folgenden beiden Unterhaltungen! Schreibe ganze Sätze!

A: Fräulein, die Speisekarte, bitte!

B: _____

A: Was ist heute Ihre Spezialität?

B: _____

A: Das klingt sehr gut.

B: _____

A: Bringen Sie mir eine Cola.

B: _____

A: Ein Stück Torte, bitte.

B: _____

A: Das ist dann alles.

B: _____

C: _____

D: Nein, dieses Restaurant ist mir zu teuer.

C: _____

D: Ich möchte ganz gern Rinderbraten essen.

C: _____

D: Dort schmeckt er nicht so gut.

C: _____

D: Das ist eine gute Idee.

C: _____

D: Ich habe auf Schweinebraten Appetit.

C: _____

4 Fill in a different noun and its corresponding article in each blank provided.

1. Hast du die Tassen auf _____ gesetzt?

2. Die Touristen stehen schon um acht Uhr vor _____.

3. Das Buch liegt neben _____.

4. Wir fahren gern mit dir in _____.

5. Das Schild ist hinter _____.

6. Stellen Sie Ihren Wagen am besten vor _____!

7. Auf _____ ist heute viel Verkehr.

8. Leg doch deine Kassetten unter _____!

5 Complete the following sentences, using the words in parentheses.

1. Das Flugzeug fliegt über (Land) _____.

2. Warte doch an (Ecke) _____.

3. Das Motorrad steht zwischen (Bus, Straßenbahn) _____.

4. Stellen Sie den Stuhl bitte neben (Tafel) _____!

5. Die Leute sitzen auf (Bank) _____.

6. Frau Müller fährt direkt in (Stadt) _____.

7. Die Zuschauer stehen vor (Tor) _____.

8. Der Bürgermeister spricht auf (Markt) _____.

9. Warum lauft ihr hinter (Haus) _____?

10. Er legt die Zeitung neben (Fahrplan) _____.

11. Wir setzen uns an (Tisch) _____.

12. Die Krawatte liegt unter (Hose) _____.

6 Replace each *da*-compound with a prepositional phrase. Whenever a *wo*-compound is used, answer the question by substituting a prepositional phrase.

       Beispiele: Ich denke nicht daran.
                    Ich denke nicht an die Reise.
                    Worüber spricht sie?
                    Sie spricht über ihre Erfahrungen.

1. Wovon erzählt die Schauspielerin?

    _____

2. Ich kann damit gut schreiben.

    _____

3. Die Leute stehen schon lange davor.

    _____

4. Wovor hast du Angst?

    _____

5. Worauf freuen Sie sich?

    _____

6. Das Boot liegt darunter.

    _____

7. Wofür bezahlen die Touristen viel Geld?

    _____

8. Die Studenten fragen danach.

    _____

9. Was sagen Sie dazu?

    _____

10. Worüber plaudern die Mädchen?

    _____

7 Wie heißt das auf deutsch?

1. Is he in a good mood?

   _____

2. Don't talk her into that.

   _____

3. Can you bring me the menu, please?

   _____

4. We are greeting the visitors.

   _____

5. Sit down here.

   _____

6. I don't like to eat sandwiches.

   _____

8 Beantworte diese Fragen über *Lesestück 1!*

1. Wer fährt alles an die Ahr?

   _____

2. Wo treffen sich die Leute?

   _____

3. Von wo fahren sie mit dem Zug ab?

   _____

4. Wie weit ist die Strecke?

   _____

5. Wie ist das Wetter?

   _____

6. Was für Wein trinkt man an der Ahr?

   _____

7. Wer hat diesen Tagesausflug organisiert?

   _____

8. Mit welchem Verkehrsmittel fahren sie wieder zurück?

   _____

9 Match each German words on the left with its English explanation on the right.

_____ 1. Hasenpfeffer

_____ 2. Stollen

_____ 3. Kalte Platte

_____ 4. Champignons

_____ 5. Leber

_____ 6. Apfelkuchen

_____ 7. Rehrücken

_____ 8. Kalbsschnitzel

_____ 9. Kartoffelpuffer

_____10. Karpfen

_____11. Weihnachtsgebäck

_____12. Gebratenes Huhn

_____13. Kletzenbrot

_____14. Kartoffelbrei

_____15. Schweinehaxen

_____16. Sauerbraten

_____17. Gebratene Gans

_____18. Nachspeise

_____19. Hase im Topf

_____20. Bratäpfel

a. dessert

b. saddle of venison

c. cold cuts

d. fried chicken

e. roasted apples

f. spiced rabbit

g. liver

h. carp

i. roasted goose

j. rabbit in the pot

k. veal cutlet

l. mushrooms

m. apple cake

n. marinated beef

o. Christmas cake

p. mashed potatoes

q. Christmas cookies

r. potato pancakes

s. sweet bread

t. pig's knuckles

10 Identify the items described. The first letter of each word (read from top to bottom) will form the name of a well-known German dish.

1. Die Kellerin bringt dem Herrn zuerst die _____.

2. Die Kellnerin bringt das Essen und sagt: ,,Guten _____!"

3. Stell die Tasse bitte auf eine _____!

4. Ich bin sehr hungrig. hoffentlich kommt das _____ bald.

5. Den _____ findet man im Keller vom Rathaus.

6. In den meisten Hotels bekommen die Gäste zum Frühstück _____, Butter, Marmelade und Kaffee.

7. Die _____ enthält 10% oder 15% Trinkgeld.

8. Manche Restaurants zeigen einen starken Einfluß aus _____.

9. In einer Konditorei ist die Auswahl an verschiedenen Kuchen und _____ besonders groß.

10. Manchmal bekommt man ein gekochtes _____ zum Frühstück.

11. Zum _____ essen wir Pudding.

A well-known German dish: _____

11 Match each word on the left with its description from the right. You will not be able to use all the items on the right.

_____ 1. Gaststätte

_____ 2. Konditorei

_____ 3. Trinkgeld

_____ 4. Imbißstube

_____ 5. Speisekarte

_____ 6. Gartenlokal

_____ 7. Frühstück

_____ 8. Hamburger-Restaurant

_____ 9. Rechnung

_____ 10. Hauptmahlzeit

_____ 11. Ratskeller

_____ 12. Straßenverkauf

a. Dort sitzen die Gäste im Freien.

b. Es gibt oft Brötchen zu essen.

c. Dort gibt es eine große Auswahl von Torten.

d. Da kann man billig und schnell essen.

e. Es ist für die meisten Deutschen das beliebteste Restaurant.

f. Sie halten es in der linken Hand.

g. Es gibt dort keine Sitzplätze.

h. Darauf steht, was man in dem Restaurant essen kann.

i. Dort kann man nur Spezialitäten aus dem Ausland bekommen.

j. Sie ist für die Deutschen meistens am Mittag.

k. Es ist da meistens sehr teuer.

l. Die Rechnung enthält schon 10% bis 15%.

m. Es zeigt einen starken Einfluß aus Amerika.

n. Man bekommt sie nach dem Essen.

12 Vervollständige die folgenden Sätze!

1. Die Touristen folgen _____.

2. Wem gehört _____?

3. Kannst du _____ helfen?

4. Ich gratuliere _____.

5. Die Hose paßt _____.

6. Das Essen schmeckt _____.

7. Wie gefällt _____?

8. Gib _____!

13 Die Speisekarte
Sieh dir die folgende Speisekarte an und beantworte dann die Fragen!

Speisekarte

Warme Küche von 11-14.30 Uhr

BOCKWURST mit Pommes-Frites	DM 7,00	HERINGSFILET Hausfrauenart mit Speckkartoffeln	DM 10,50
GEBACKENER CAMEMBERT Schwarzbrot, Butter	DM 8,00	GULASCH Spaghetti, Salat	DM 13,50
ZIGEUNERWURST mit Pommes-Frites	DM 8,50	SCHWEINESCHNITZEL Bratkartoffeln, Salat	DM 14,00
OMELETT mit Konfitür	DM 9,00	GEFLÜGELLEBER Püree & gem. Salat	DM 14,75
SPECKPFANNEKUCHEN mit Salat	DM 9,00	HÜHNERFRICASSE Spargel, Butterreis	DM 14,75
Großer gemischter SALATTELLER	DM 9,00	WILDRAGOUT Klöße, Rotwein-Birne, Preiselbeeren	DM 14,75
DICKE BOHNEN mit Speck & Kartoffeln	DM 9,50	JÄGERSCHNITZEL Pommes-Frites, Salat	DM 15,00
SCHWEINEBRATEN Salzkartoffeln, Salat	DM 10,00	ZIGEUNERSCHNITZEL Pommes-Frites, Salat	DM 15,00
SAUERKRAUT Püree, geräucherten mageren Speck	DM 10,00		

Änderungen DM 0,50 Aufpreis
Inclusive Bedienung und Mehrwertsteuer

1. Wieviel kostet das Jägerschnitzel?

   _____

2. Was gibt es noch als Beilage?

   _____

3. Welche Speise kostet DM 9,50?

   _____

4. Wieviel muß man noch extra für Bedienung und Mehrwertsteuer bezahlen?

   _____

5. Von wann bis wann kann man hier warme Speisen bestellen?

   _____

6. Was für Käse gibt es hier?

_____

7. Welche Speise kommt mit Spargel?

_____

8. Welche Speise ist die teuerste und welche ist die billigste?

_____

14 Rätsel

In the letters below you will find words for nine items that may be included in a table setting. The letters may go backwards or forwards; they may go up, down, across, or diagonally. However, they only go one way in any word. (Note: OE = Ö, UE = Ü)

```
O  D  H  D  I  R  C  N  G  S  K  Z  V  F  N
A  I  O  A  D  Z  N  H  C  J  P  Y  K  Q  L
W  B  S  E  R  V  I  E  T  T  E  S  L  R  B
B  M  E  S  L  E  F  F  E  O  L  E  E  F  C
L  A  U  A  L  T  B  V  G  C  S  W  S  X  M
X  H  O  L  J  N  E  I  R  S  A  R  S  M  A
A  P  D  G  K  L  E  B  A  G  E  L  E  Q  I
V  G  U  N  T  E  R  T  A  S  S  E  U  F  C
A  K  F  W  J  T  E  C  S  Q  S  I  H  P  K
U  C  U  T  E  L  L  E  R  A  D  V  C  Z  X
V  S  L  X  R  W  M  B  M  Y  H  E  S  O  R
U  B  G  D  A  G  A  T  E  B  C  U  N  V  J
C  M  A  H  T  S  K  Y  I  Z  U  L  B  T  W
```

15 Kreuzworträtsel

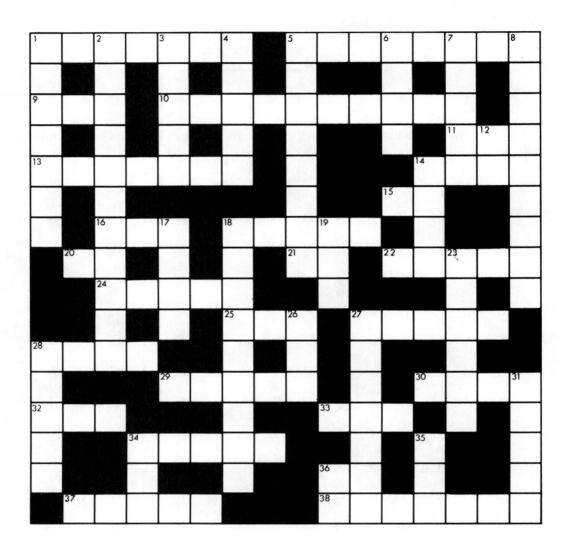

Waagerecht

1. Ein Fisch.
5. Ein bekanntes Fest.
9. Das ____ schmeckt sehr gut.
10. Die Tasse steht auf einer ____.
11. „Liegen" auf englisch.
13. Ich habe nicht nur einen Bruder ____ auch eine Schwester.
14. Der Bus hält ____ Bahnhof an.
15. ____ ist denn nur die Kellnerin?
16. Berlin (____) ist die Hauptstadt der DDR.
18. Das Wort ____ an der Tafel.
20. Ich muß um acht Uhr ____ der Schule sein.
21. „Nein" auf englisch.
22. ____ Lehrer ist sehr beliebt.
24. Die Gäste sitzen am ____ und essen.
25. Hast du zehn Mark? Nein, ich habe ____ vier Mark.
27. Was ____ die Dame in der Sportabteilung?
28. Weißt du, was sie ____? Nein, ich kann sie nicht verstehen.
29. Tun, tat, ____.
30. Sie sitzen im ____.
32. Warum stehen dort so viele Zuschauer? Was ist denn da ____?
33. „Affe" auf englisch.
34. Wir essen mit einem Messer und einer ____.
36. „Es" auf englisch.
37. Dein Fuß ist zu groß. Dieser ____ paßt dir auch nicht.
38. Willi ist ____ an der Universität Heidelberg.

Senkrecht

1. Möchten Sie lieber Fisch oder ____?
2. An diesem Tag feiern die Kölner den Karneval.
3. Bist du heute guter ____?
4. Diese Tiere schwimmen im Wasser.
5. Eine Gemüseart.
6. Heute gibt es Sauerbraten. Wie kannst du das wissen? Ich habe eine gute ____.
7. Wie ____ Einwohner hat Mainz?
8. Ein Nachbarland Frankreichs.
12. AA, EE, ____, OO, UU.
14. Die Hauptstadt der BRD.
17. Wir schreiben eine Arbeit. Das Wort „Arbeit" auf englisch.
18. Ißt du Wiener ____ gern?
19. ____ das Fahrrad, bitte. Es steht dort drüben.
23. „Beeil" dich! Ja, ich komme ____.
26. „Laufen" auf englisch.
27. Wir essen ____ zum Nachtisch.
28. Der Herr ißt Schweinefilet mit Kartoffeln und ____.
31. Bremen ist eine große ____.
34. ____ bitte vor sechs Uhr zum Geschäft.
35. Bringen Sie mir eine Tasse Kaffee ____ meiner Frau ein Glas Wein.
36. „Ist" auf englisch.

16

Identify the items indicated in the drawing below. Be sure to include the article for each noun and the plural form of each noun, too.

1. _____

2. _____

3. _____

4. _____

5. _____

6. _____

7. _____

8. _____

9. _____

Lektion 17

1 Vervollständige die folgenden beiden Unterhaltungen!

A: Guten Tag! Ich habe Sie schon lange nicht mehr gesehen.

B: _____

A: Wie ist denn das Wetter gewesen?

B: _____

A: Was haben Sie gemacht? Bei dem Wetter kann man ja nicht am Strand sitzen.

B: _____

A: Na, das ist aber schade. Immer im Hotel sitzen hat bestimmt keinen Spaß gemacht.

B: _____

A: Hoffentlich wird Ihr nächster Urlaub etwas besser.

B: _____

C: _____

D: Die haben wir leider nicht mehr.

C: _____

D: Davon können Sie ein paar haben.

C: _____

D: Sie sind ganz frisch vom Markt gekommen.

C: _____

D: Soll ich es für Sie schneiden?

C: _____

D: Mir schmeckt sie auch immer gut.

C: _____

2 Beantworte diese Fragen mit einem ganzen Satz!

1. Wie kommt man vom Erdgeschoß zum siebten Stock?

   _____

2. In welcher Abteilung kann man Wurst und Käse kaufen?

   _____

3. Wo wachsen Äpfel? Und Kartoffeln?

   _____

4. Woher kommen die Eier?

   _____

5. Was kaufst du gern in einem Geschäft?

   _____

6. Was für Gemüse wächst in deiner Gegend am besten?

   _____

3 Rewrite each sentence, first in the past tense and then in the present tense.

1. Wir haben das Flugzeug nicht sehen können.

   _____

   _____

2. Haben Sie das Zimmer bestellen wollen?

   _____

   _____

3. Die Zuschauer haben lange auf die Spieler warten müssen.

   _____

   _____

4. Hast du etwas kaufen dürfen?

   _____

   _____

5. Habt ihr etwas essen mögen?

   _____

   _____

6. Ich habe in die Stadt gehen sollen.

   _____

   _____

4 Find the word pairs. Write the appropriate word from the right side next to its counterpart.

1. Karneval _____   Zentrum

2. Hund _____   Katze

3. Gaststätte _____   Sitzplatz

4. Kaufhaus _____   Bohnen

5. Innenstadt _____   Frühstück

6. Eis _____   Universität

7. Koffer _____   Fleisch

8. Getränk _____   Fasching

9. Kellnerin _____   Fräulein

10. Gemüse _____   Speisesaal

11. Brötchen _____   Fisch

12. Rinderbraten _____   Nachtisch

13. Karpfen _____   Apfelsaft

14. Kugelschreiber _____   Restaurant

15. Hochschule _____   Fußballplatz

16. Mensa _____   Gepäck

17. Stuhl _____   Bleistift

18. Stadion _____   Geschäft

5 Vervollständige die folgenden Sätze!

1. Ich schneide _____.

2. Um wieviel Uhr _____?

3. Der Laden _____.

4. Freut ihr euch _____?

5. Wir kaufen _____.

6. Wo bekommt man denn _____?

7. Gestern sind wir _____.

8. Am Mittwoch werde ich _____.

9. Und was macht Peter _____?

10. Sollst du nicht _____?

6 Unscramble the following words. Each word can be found at a German market (Note: AE = Ä, UE = Ü)

1. S B T O _____

2. E K E A S _____

3. I B W N Z E E L _____

4. C E K N R H I S _____

5. N N O E H B _____

6. E L M U B N _____

7. P L A E E F _____

8. D E E N R E R B E _____

9. R T E O B _____

10. T A N K O E R T _____

11. G E S U M E E _____

12. R L S E A G P _____

13. U N P A E F M L _____

14. L E A N N I F S P E _____

15. F N K O F A L R E T _____

16. T T N O A M E _____

17. H F E P I I C S R _____

18. R W T S U _____

7 Rewrite the following sentences in the past perfect tense.

1. Dieses Spiel dauert sehr lange.

_____

2. Warum kaufst du nicht ein Pfund davon?

_____

3. Ich vergesse deine Anschrift sehr oft.

_____

4. Seid ihr immer zu Hause?

_____

5. Erika weiß die Antwort leider nicht.

_____

6. Die Kinder streicheln die Tiere gern.

_____

7. Unsere Verwandten schreiben uns nie.

_____

8. Die Dosen stehen immer auf diesem Regal.

_____

8

Wie heißt das Obst und Gemüse? Include the article for each noun as well as the plural form.

1. _____   2. _____

3. _____   4. _____

5. _____   6. _____

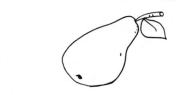

7. _____   8. _____

9. _____   10. _____

11. _____   12. _____

9 Die folgenden Sätze beschreiben *Lesestück 1*. Setze die richtigen Wörter ein!

Frau Nobel geht ein paar Mal die _____ einkaufen. Zuerst geht sie zum _____. Er ist nicht _____ von ihrem Haus entfernt. Die _____ von verschiedenen Wurstwaren ist bei Huberts immer gut. Die Bedienung ist auch sehr hilfsbereit und _____.

Ein paar große _____ Fleisch hängen im _____. Ein Fleischer _____ Fleisch in kleine Stücke. Dieser Fleischer macht seine _____ Wurst.

Was kauft Frau Nobel beim Fleischer? Sie kauft Gehacktes, Salami und _____ Schinken. Die Salami schneidet eine _____ in Scheiben; dann wickelt sie sie ein und _____ die Preise auf alle Packungen. An einer _____ kauft sie Margarine und _____. Dann geht sie zur _____ und _____ alles in die Einkaufstasche.

Die Läden machen um _____ sieben zu. Deshalb _____ sie schnell zum Zentrum. Sie will noch einige andere Sachen _____. Ihre _____ besuchen sie später und natürlich möchte sie ihnen etwas _____.

Im Lebensmittelgeschäft nimmt sie gleich einen _____ und geht damit zur Obst- und Gemüseabteilung. Die Bananen sind heute sehr _____. Wie sind die Äpfel? Sie sehen _____ aus. Eine Verkäuferin _____ alles, packt sie in _____ und schreibt die _____ darauf.

Frau Nobel kauft noch schnell eine _____ Kaffee und ein _____ Käse und geht dann sofort zur Kasse. Eine Kassiererin _____ die Preise, während Frau Nobel die Waren auf den Ladentisch _____. Dann gibt Frau Nobel der Kassiererin das _____ Geld und geht mit schnellen Schritten nach _____.

10 Construct a short dialog, based on the information given.

You have received some money from your parents. You ask your friend to go shopping with you to help you decide what to buy. Since you are planning to go on a trip with some of your friends, your friend suggests that you get a bicycle. You feel, however, that you don't have enough money to buy one. S/he tells you that the department store has bicycles at reasonable prices.

Both of you go to this store and ask the saleswoman about the price of bicycles. She tells you that they cost 180 DM and up. You ask to see the selection. You don't like the least expensive one. Your friend notices one that s/he feels you might like. You ask the saleswoman for the price. She tells you that this particular one costs 210 DM. You decide to buy it.

11 Form the proper compound noun by matching each word on the right with a word from the left.

1. Bürger_____   -kuchen
2. Laden_____   -stand
3. Erd_____   -kissen
4. Feder_____   -meister
5. Frucht_____   -mittel
6. Mineral_____   -bett
7. Platten_____   -rübe
8. Wein_____   -schein
9. Mark_____   -beere
10. Gulasch_____   -spieler
11. Apfel_____   -preis
12. Eintritts_____   -suppe
13. Kopf_____ _kissen_____   -tisch
14. Zucker_____   -wasser
15. Lebens_____   -traube

12 Beantworte diese Fragen über *Lesestück 2!*

1. Was ist ein offener Markt?

   _____

2. Wo findet man meistens einen Markt?

   _____

3. In welchem Monat kann man reife Erdbeeren kaufen?

   _____

4. Was für Gemüse können die Leute auf dem Markt kaufen?

   _____

5. Warum sind die Backwaren frisch und knusprig?

   _____

6. Was schenken die Deutschen gern ihren Freunden?

   _____

7. Was ist für jeden zu empfehlen?

   _____

13 Sieh dir die verschiedenen Fahr- oder Eintrittskarten an und beantworte dann die einzelnen Fragen!

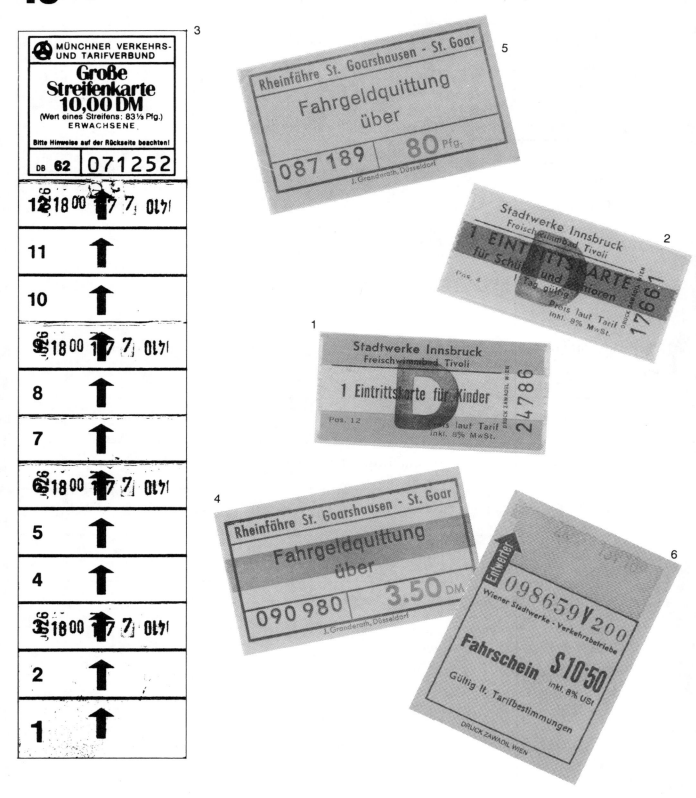

1. Wofür ist Eintrittskarte Nummer 1?

   _____

2. In welcher Stadt und in welchem Land hat man diese Karte gekauft?

   _____

3. Warum hat Eintrittskarte Nummer 2 wahrscheinlich einen anderen Eintrittspreis als die für Nummer 1?

   _____

4. Wie hoch ist die Mehrwertsteuer für diese beiden Eintrittskarten?

   _____

5. Wie viele Streifen sind auf der Karte Nummer 3?

   _____

6. Wo kann man diese Karte kaufen?

   _____

7. Wieviel kostet die ganze Streifenkarte? Und jede einzelne Karte?

   _____

8. Ist diese Karte für Kinder?

   _____

9. Für welches Verkehrsmittel ist Karte Nummer 4?

   _____

10. Wieviel kostet diese Karte?

    _____

11. Warum ist diese Karte teurer als Karte Nummer 5? Was glaubst du?

    _____

12. Zwischen welchen Orten kann man mit diesen beiden Karten fahren?

    _____

13. In welcher Stadt bekommt man Karte Nummer 6?

    _____

14. Wieviel kostet diese Karte?

    _____

14 Kreuzworträtsel

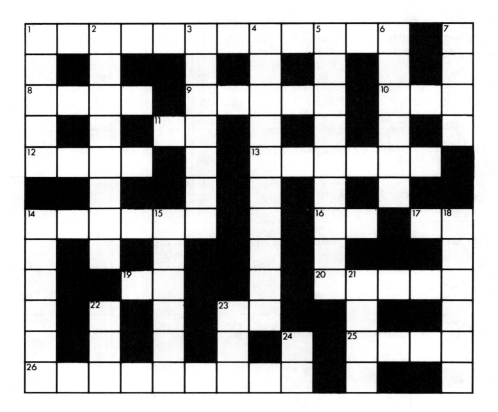

Waagerecht

1. Im Konsum kann man ____ kaufen.
8. Frau Reuter kauft eine ____ Erdnüsse.
9. Rügen ist eine ____ in der Ostsee.
10. Hast du ____ Buch?
11. „Er" auf englisch.
12. Es ist schon zehn Minuten ____ drei Uhr.
13. Warum ____ es schon wieder? Wir wollten heute schwimmen gehen.
14. Wo ____ denn Peter? Er kommt immer so spät.
16. Der Bus steht direkt ____ Rathaus.
17. „Ist" auf englisch.
19. Wer ist das ____ drüben?
20. Ein anderes Wort für „Zentrum".
23. „Es" auf englisch.
25. Wien ist ____ interessante Stadt.
26. Man bekommt diese an einem Obststand.

Senkrecht

1. Ein anderes Wort für „Geschäft".
2. Meine Tante wird uns nächste Woche ____.
3. ____ du Tennis gern?
4. Die Flöte ist ein Musik____.
5. Man kann ein ____ direkt bei der Post aufgeben.
6. In welchem Teil der BRD ____ Hamburg und Kiel?
7. Polen ist ein ____.
14. Möchtest du eine Apfelsine? Nein, ich esse lieber eine ____.
15. Wie gefällt Ihnen diese rote Bluse? Ich möchte lieber eine ____.
18. Auf dem Parkplatz ____ viele Autos.
21. Gehen wir ins Theater! Das ist eine gute ____.
22. Marianne ____ Getrud fahren im Juli nach Italien.
23. Was habt ____ heute abend vor?
24. Viele Leute warten ____ der Haltestelle.

15 Let's assume you're going shopping in a German store and are planning to buy the items listed in English below. Give the German equivalent for each item on the shopping list below, including quantities. Then figure out the total for each grocery item and the grand total of your grocery bill.

Shopping List		*Einkaufsliste*	*Preis*
4	pounds apples (DM -,90 per pound)	_____	_____
1/2	pound coffee (DM 13,50 per pound)	_____	_____
2 1/2	liter milk (DM 1,10 per liter)	_____	_____
1/4	liter whipping cream (DM 7,40 per liter)	_____	_____
6	bananas (DM -,65 each)	_____	_____
2	cans peanuts (DM 3,95 each)	_____	_____
10	pounds potatoes (DM -,55 per pound)	_____	_____
2	pounds ground meat (DM 5,20 per pound)	_____	_____
1/4	pound cheese (DM 8,40 per pound)	_____	_____
1/2	pound salami (DM 9,80 per pound)	_____	_____
		Gesamtpreis	DM _____

16 Identify the following words, based on the *Kulturecke*.

1. Rundfunk- und Fernsehabteilung _____

2. Geschenkartikel _____

3. Bonbons _____

4. Erdgeschoß _____

5. Möbel _____

6. Haushaltsartikel _____

7. Obergeschoß _____

8. Kekse _____

9. Bücherabteilung _____

10. Schallplatten und Kassetten _____

Lektion 18

1 Beantworte diese Fragen mit einem ganzen Satz!

1. Warum mußt du zum Arzt gehen?

_____

2. Was kann man in einer Apotheke kaufen?

_____

3. Was soll man tun, wenn man Kopfschmerzen hat?

_____

4. Bist du schon einmal im Krankenhaus gewesen? Wann?

_____

5. Was soll man tun, wenn man Fieber hat?

_____

6. Warum mißt der Arzt den Blutdruck?

_____

2 Wie heißt das auf deutsch?

1. Why is she taking the pulse?

_____

2. Are the children sick?

_____

3. I would like to have a few cough drops.

_____

4. Aren't you feeling well?

_____

5. The ointment works wonders.

_____

6. I have a severe toothache.

_____

7. What does the doctor prescribe?

_____

8. Doesn't Werner feel well?

_____

3 *Ich bin leider krank.* Write a short letter to a friend of yours including the following information:

Your friend had invited you to spend a few days at his house and you were looking forward to the visit. Unfortunately, you came down with a severe cold, and the doctor advised you to stay at home for a few days. Furthermore, you have a high fever and don't want to infect anyone else. You tell your friend about your illness and how it limits you from pursuing your normal activities. You ask him/her if you could come at a later time and suggest a few days when you would be able to visit. Finally, you describe some of the things you have done during the two or three months since you last have seen him/her.

4 Vervollständige die folgende Unterhaltung!

A: Wie geht es Ihnen denn?

B: _____

A: Das tut mir aber leid.

B: _____

A: Lassen Sie mich gleich einmal nachsehen.

B: _____

A: Ja, es ist sehr entzündet.

B: _____

A: Das Beste ist, ich gebe Ihnen ein Rezept.

B: _____

A: Sie können die Medizin in der Apotheke gleich um die Ecke bekommen.

B: _____

5 Write two sentences for each sentence given. Follow the example.

Beispiel: Das Museum, das die Touristen besuchen, ist sehr bekannt.
Das Museum ist sehr bekannt. Die Touristen besuchen es.

1. Mein Freund, mit dem ich gefahren bin, ist pünktlich angekommen.

   _____

   _____

2. Die frischen Erdbeeren, die wir gegessen haben, haben sehr gut geschmeckt.

   _____

   _____

3. Die Dame, die mir die Geschichte erklärt hat, wohnt gleich beim Stadttor.

   _____

   _____

4. Fragen Sie doch den Verkäufer, der dort drüben arbeitet!

   _____

   _____

5. Seine Freundin, ohne die er ins Kino gegangen ist, heißt Monika.

   _____

   _____

6. Die Einkaufsliste, die Frau Müller mitgenommen hat, ist heute lang.

   _____

   _____

7. Das Gebäude, aus dem die Touristen herausgekommen sind, ist schon 200 Jahre alt.

   _____

   _____

8. Der Deutsche, den du kennengelernt hast, ist schon seit zehn Jahren in Amerika.

   _____

   _____

9. Die Ärztin, die dir die Medizin verschrieben hat, ist in der ganzen Stadt bekannt.

   _____

   _____

10. Der Bahnhof, auf dem immer viel Betrieb ist, ist in der Stadtmitte.

   _____

   _____

6 Combine each pair of sentences, using the conjunction indicated. Then rewrite the sentence by placing the conjunction at the beginning of the sentence.

> *Beispiel:* Sie kann nicht ins Kino gehen. Sie hat wenig Zeit (solange)
> Sie kann nicht ins Kino gehen, solange sie wenig Zeit hat.
> Solange sie wenig Zeit hat, kann sie nicht ins Kino gehen.

1. Wir gehen in die Eisdiele. Wir haben Appetit auf Eis. (weil)

   _____

   _____

2. Die Touristen müssen noch eine Stunde warten. Das Flugzeug kommt. (bis)

   _____

   _____

3. Er kommt zu mir rüber. Er geht auf den Fußballplatz. (ehe)

   _____

   _____

4. Die Studenten fliegen nach Deutschland. Sie haben ein Jahr Deutsch studiert. (nachdem)

   _____

   _____

5. Ich habe keine Karte kaufen können. Ich habe kein Geld gehabt. (da)

   _____

   _____

6. Weißt du das nicht? Sie ist mit dem Fahrrad gefahren. (ob)

   _____

   _____

7 Vervollständige die folgenden Sätze!

1. Ich habe keine Lust zum Fußballspiel zu gehen, weil _____.

2. Meine Freundin, die _____, ist letztes Jahr in Europa gewesen.

3. Während _____, spielt er Tennis.

4. Sie hat geschrieben, daß _____.

5. Als _____, waren meine Eltern nicht zu Hause.

6. Der Schauspieler, den _____, ist sehr bekannt.

7. Sie kommen nicht zu Besuch, sondern _____.

8. Obgleich Sabine Mathe studiert hat, _____.

9. Wir sollen zum Arzt gehen, aber _____.

10. Dort ist die Kellnerin, die _____.

8 Form the proper compound noun by matching each phrase from the right with a phrase from the left. Write out the complete new noun including its article.

1. der Husten: _____   die Karte
2. die Platten: _____   die Entzündung
3. die Lebensmittel: _____   das Haus
4. die Kranken: _____   die Traube
5. das Fleisch: _____   das Bett
6. der Gast: _____   der Teller
7. das Mineral: _____   der Saft
8. der Wein: _____   das Thermometer
9. das Fieber: _____   das Kissen
10. der Salat: _____   die Waren
11. der Kopf: _____   die Rübe
12. die Speise: _____   das Wasser
13. der Zucker: _____   die Stätte
14. die Mandel: _____   das Geschäft
15. die Feder: _____   der Spieler

9 Fill in the missing information, based on *Lesestück 1*.

1. Elke befindet sich heute im _____.

2. Im Vorzimmer sitzen noch andere _____.

3. Eine Sprechstundenhilfe sagt Elke, sie soll ins _____ kommen.

4. Der Arzt fragt Elke, was für _____ sie hat.

5. Elke sagt ihm, daß sie nicht _____ kann.

6. Elkes _____ haben sie zum Arzt gebracht.

7. Doktor Böhme _____ zuerst den Puls.

8. Elke erzählt dem Arzt, daß sie starke _____ hat.

9. Im Nebenzimmer soll sich Elke auf einen Stuhl _____.

10. Elkes Mandeln sind ganz _____.

11. Doktor Böhme mißt Elkes _____, denn er will wissen, ob Elke Fieber hat.

12. Der Arzt _____ Elke ein Rezept.

13. Elke soll die Tabletten _____ am Tag nehmen.

14. Solange sie nicht _____ ist, muß Elke zu Hause bleiben.

10 Sieh dir die folgende Hotelliste an und beantworte dann die Fragen!

Hotels

Zimmer-Vermittlung	Verkehrsbüro, Münsterplatz 51, D 7900 Ulm/Donau	Reservierte Zimmer werden – wenn nicht anders verein-
Accommodation service	Tel. 07 31 / 6 41 61 u. 1 61 30 26, Telex 07 12/715	bart – bis 19.00 Uhr freigehalten. / Reserved rooms are
Service de logement	Mo–Fr 9.00–18.00 h, Sa 9.00–12.30 h	held until 19 h. / Chambres reservées jusqu'à 19 heures.

Nr. im Plan		Name des Betriebes Adresse	Telefon Telex	Zahl d. Betten	Zimmer mit Bad/ Dusche	Inklusivpreise mit Frühstück Einzelzimmer	Doppelzimmer	Komfort	Tagungs- räume (Plätze)	Restaurantplätze Lokal Nebenraum Geöffnet (Ruhetag)	
Zentrum – City – Centre-ville											
53	H	Mövenpick-Hotel NU, Silcherstr. 40	8 01 10 FS 07 12/539	209	109	83.--/93.--	115.--/125.--	KbLPZTv Schwimmbad	60/60	Mövenpick-Restaurant im Nebenhaus	
1	H	Bundesbahnhotel Bahnhofplatz 1	6 12 21 FS 07 12/871	160	110	27.--/68.--	52.--/121.--	EZKbLGPRTv Kegelbahn	180/30 30/15	161/55/55 5.00–24.00	D
7	H	Neutor-Hospiz Neuer Graben 23	6 11 91 FS 07 12/401	130	92	48.50/85.--	75.50/120.--	ZKbLGP	100/65	45 36/18/10 6.00–24.00	D
63	H	Am Rathaus Kronengasse 8	6 40 32	67	23	28.--/50.--	50.--/70.--	EP	70	garni	
5	H	Stern Sterngasse 17	6 30 91	58	35	40.--/60.--	65.--/95.--	EZKbGP Kegelbahn	25	40/35 6.30–24.00	
58	H	Ulmer Spatz Münsterplatz 27	6 80 81	52	26	26.--/57.--	54.--/78.--	EZKbLP		100 30/30 6.00–24.00	D
22	H	Münsterhotel Münsterplatz 14	6 41 62	51	10	28.--/41.--	52.--/64.--	EGP		garni	
46	H	Stadt Lindau NU, Bahnhofstr. 8–10	7 71 48	45		29.--	52.--	EGP		70 35/35 9.00–24.00 (Sa)	
34	H	Schwarzer Adler Frauenstr. 20	2 10 93	42	5	28.--/33.--	50.--/60.--	EKbLGP		60 40 7.00–24.00 (Fr)	D
14	H	Roter Löwen Ulmer Gasse 8	6 20 31	40	15	30.--/45.--	60.--/85.--	ZKbLGP	45/25	100 17.00–24.00 So/F.Tag 11.00–15.00	D
48	H	Bayerischer Hof NU, Marienstr. 20	7 73 01	40	11	25.--/35.--	48.--/63.--	EZKbGP Sommer- garten		66 40 17.00–24.00 (Fr) So/F.Tag 11.00–24.00	
71	H	Zum jungen Hasen Hirschstr. 19	6 30 28/29	38	8	29.--/36.--	50.--/64.--	EZKbL		garni	

H = Hotel	U = Ulm	E = Etagenbad / Public Bathroom / Salle de bain sur l'étage	G = Garage / Privat garage / Garage à l'hôtel	
P = Pension	NU = Neu-Ulm	Z = Zimmertelefon / Telephone in the rooms / Téléphone dans la chambre	P = Parkplatz / Car park / Parking	
G = Gasthof		Kb = Kinderbett / Cot / Lit d'enfant	D = Diätküche / Special diets / Cuisine diététique	
		L = Lift / Elevator / Ascenseur	R = Für Behinderte mit Rollstuhl geeignet	
		Tv = Fernsehen / Television		

1. In welcher Straße ist das Hotel Schwarzer Adler?

   _____

2. Was ist die Telefonnumer des Bundesbahnhotels?

   _____

3. Wie viele Betten gibt es im Hotel Roter Löwen?

   _____

4. Wieviel kostet ein Einzelzimmer im Hotel Bayerischer Hof?

   _____

5. Haben alle Hotels Parkplätze?

   _____

6. Wieviel kostet das teuerste Zimmer im Mövenpick-Hotel?

   _____

7. Kann man von seinem Zimmer im Münsterhotel telefonieren?

   _____

8. In welcher Straße liegt Hotel Stadt Lindau?

   _____

9. Wie viele Zimmer hat Hotel Stern?

   _____

10. Gibt es in den Zimmern des Hotels Am Rathaus Fernsehapparate?

    _____

Name _____   Datum _____

11 Kreuzworträtsel

Waagerecht

1. Elke hat starke _____.
7. Um wieviel Uhr fliegt das Flugzeug _____?
9. Dieser Fluß fließt durch die DDR und die BRD.
10. In diesem Geschäft kann man Medizin kaufen.
12. ,,Tun" auf englisch.
13. Haben Sie _____ Schwester?
14. Der Film soll gantz toll sein. Kaufen wir die _____ lieber schon vorher.
15. Ich habe _____ Fieber.
16. Was _____ du gestern gemacht?
18. Hier sind _____ Tabletten, Frau Meier.
19. Das Wetter ist heute sehr schön. Der _____ ist ganz blau.
20. Ich habe leider _____ wenig Zeit.
21. Die Familie sitzt _____ Wohnzimmer und sieht fern.
22. Ich spreche mit meinem _____.
24. ,,Uns" auf englisch.
27. Er hebt den Hörer _____ und führt dann sein Gespräch.
30. ,,Mich" auf englisch.
31. Der Arzt hat eine _____ verschrieben.
33. Wann _____ wir Abendbrot?
35. _____ das Museum weit von hier?
36. Wo _____ Köln?
37. Der Herr und die _____ gehen gern in den Ratskeller.
38. Elkes _____ sind sehr entzündet.
40. Wir haben _____ Brief schon gestern geschickt.
42. ,,Gehen" auf englisch.
43. Die Kinder kommen um eins _____ der Schule.

Senkrecht

1. Elke ist zur Untersuchung ins _____ gekommen.
2. Ich kaufe ein _____. Dann wissen wir, wie die Schauspieler heißen.
3. Wann wirst du deinen Aufsatz _____?
4. Letzte Woche hat _____ bei uns geschneit.
5. Dort kann man viele Tiere sehen.
6. Doktor Böhme bittet Elke, ins _____ zu kommen.
7. Heute _____ bekommen wir Besuch.
8. ,,Sein" auf englisch.
11. Ich habe ihn gar nicht _____. Er sieht viel älter aus, als ich gedacht hatte.
12. Ein anderes Wort für ,,Arzt".
17. Hast du etwas _____? Ja, aber nur zehn Mark.
23. Ein Monat.
25. Am _____ haben wir keine Schule.
26. Wissen Sie, _____ er kommen wird?
28. Ein große Stadt.
29. Die BRD grenzt im _____ an die DDR.
32. Dieter ist der _____ und Walter ist der zweite.
34. Heidi bekommt immer gute _____. Sie ist sehr klug.
37. Ich kann _____ Halsschmerzen einfach nicht loswerden.
39. ,,Nein" auf englisch.
40. ,,Uns" auf englisch.
41. Wolfgang ist _____ alt wie ich.

12 Beschreibe die folgenden Wörter mit einem oder zwei Sätzen!

1. die Pension _____

_____

2. der Zimmernachweis _____

_____

3. die Staatsangehörigkeit _____

_____

4. das Gasthaus _____

_____

5. die Preisklasse _____

_____

6. der Campingplatz _____

_____

7. das Hotel _____

_____

8. das Formular _____

_____

13 *Was stimmt hier nicht?* The following information is based on the *Kulturecke*. The statements contain some inaccurate information. Correct the information by writing a complete sentence in German.

1. Die meisten deutschen Wohnungen sind groß.

_____

2. Mehr als die Hälfte aller Deutschen wohnen in Einfamilienhäusern.

_____

3. Sechzig Prozent der Bevölkerung wohnt in kleinen Städten.

_____

4. Die Häuser in Norddeutschland sehen genauso aus wie die in Bayern.

_____

5. Häuser in Deutschland kosten weniger als in den USA.

_____

6. Es gibt viele Schrebergärten im Zentrum größerer Städte.

_____

7. Im Schwarzwald ist das Wetter fast immer schön.

_____

8. Neue Häuser findet man hauptsächlich in der Innenstadt.

_____

Lektion 19

1 *Worüber spricht man hier?* Identify the parts of the car described in these sentences. Include the article.

1. Leg doch das Gepäck hier hinein! Da ist mehr Platz. _____

2. Mach doch das Glas sauber! Du kannst ja den Verkehr gar nicht sehen.
   _____

3. Es ist schon sehr dunkel. Du solltest sie gebrauchen. _____

4. Kannst du sie aufmachen? Leider nicht. Ich habe keinen Schlüssel.
   _____

5. Ein Auto hat vier davon und fährt darauf. _____

6. Dreh es etwas weiter nach links, sonst fährst du über die Bordsteinkante!
   _____

7. Kommt er aus Hamburg? Ich kann es nicht genau lesen. Der Wagen ist noch zu weit hinter uns. _____

8. Wir haben hier vorne keinen Platz mehr. Setz dich doch hinten hin!
   _____

9. Im Auto gibt es keinen Platz mehr. Wir haben oben noch einen Gepäckträger. Darauf können wir dein Gepäck festmachen. _____

10. Es ist besser, wenn du ihn gebrauchst. Wenn etwas passieren sollte, dann bist du auf jeden Fall etwas sicherer. _____

2 Beantworte die folgenden Fragen mit einem ganzen Satz!

   1. Hast du ein Fahrrad, ein Motorrad oder ein Auto?

   2. Hast du oder jemand in deiner Familie schon einmal eine Panne gehabt? Was war passiert?

   3. Was soll man vorher lösen, ehe man mit dem Wagen losfährt?

   4. Wer überprüft einen Wagen?

   5. Hast du Fahrunterricht gehabt? Wie lange?

   6. Was muß man beim Fahrunterricht alles wissen?

   7. Was macht man mit einer Schaltung?

   8. Wofür braucht man einen Wagenheber?

   9. Wie ist der Verkehr, wo du wohnst?

  10. Wo befindet sich meistens der fünfte Reifen?

3 Let's assume you are taking driving instruction and you are about to drive an automobile for the first time. Fill in each space with an appropriate response in German. Be sure that the whole conversation ties together and becomes meaningful.

Fahrlehrer: Hier sind Ihre Autoschlüssel. Viel Glück!

Du: Ich werde mein Bestes versuchen. Was soll ich zuerst machen?

Fahrlehrer: _____

Du: Ich kann sie einfach nicht finden.

Fahrlehrer: _____

Du: Jetzt läuft der Motor. Was nun?

Fahrlehrer: _____

Du: Da ist nicht viel Platz.

Fahrlehrer: _____

Du: Wo soll ich jetzt fahren?

Fahrlehrer: _____

Du: Warum fährt denn der Fahrer hinter mir so schnell?

Fahrlehrer: _____

Du: Bei dem Verkehr soll er lieber mehr aufpassen.

Fahrlehrer: _____

Du: Soll ich links um die Ecke fahren?

Fahrlehrer: _____

Du: An der Parkuhr steht schon jemand.

Fahrlehrer: _____

Du: Nein, danke für heute habe ich genug.

Fahrlehrer: _____

Change the following sentences from active to passive voice as shown in the example.

> *Beispiel:* Man hat mir das Märchen oft erzählt.
> Das Märchen ist mir oft erzählt worden.

1. Man hat mir die Karten gestern gekauft.
   _____

2. Man hat das Auto in der Werkstatt repariert.
   _____

3. Man hat es auf englisch gesagt.
   _____

4. Man hat den französischen Film gezeigt.
   _____

5. Man hat die Kupplung erklärt.
   _____

6. Man hat den Reifen gewechselt.
   _____

7. Man hat den Wagen in die Waschanlage gefahren.
   _____

8. Man hat das gesagt.
   _____

9. Man hat das Haus gebaut.
   _____

10. Man hat die Reise geplant.
    _____

 Vervollständige die folgenden Sätze!

1. Sie stellen ihr Warndreieck auf, so daß _____.
2. Sein Wagen fährt nicht weiter, weil _____.
3. Der Herr erklärt dem Werkmeister, daß _____.
4. Was machen die beiden Mechaniker. Sie _____.
5. Ein Lehrling untersucht _____.
6. Der Werkmeister schlägt mir vor, _____.
7. Nach der Reparatur werden wir den Wagen _____.
8. Ich muß die Handbremse _____.
9. Die Dame steigt in den Wagen ein und _____.
10. Der Wagenheber _____.

6 Use the German syllables below to help you find the answers of the sentences that follow. Each syllable may be used only once.

AUS	BE	BER	BORD	BREM	DAL
FEN	GAS	GEL	GEN	HAND	HAU
HE	IN	KAN	KER	MO	NEN
PARK	PE	PUFF	REI	ROHR	SCHLÜS
SE	SEL	SPIE	STATT	STEIN	TE
TOR	UHR	WA	WERK	ZE	ZÜND

1. Bevor Sie abfahren, müssen Sie erst den _____ einstellen.

2. Ohne _____ können Sie es nicht starten.

3. Sie können hier parken, aber Sie müssen Geld in die _____ stecken.

4. Lösen Sie bitte die _____!

5. Der _____ liegt im Kofferraum.

6. Warum läuft der Motor nicht? Sie haben eine defekte _____.

7. Im _____ ist ein Loch. Ich muß ihn wechseln.

8. Sie dürfen nicht zu nahe an die _____ fahren.

9. Die Mechaniker in dieser _____ sind wirklich Experten.

10. Machen Sie bitte die _____ auf, damit ich mir den Motor einmal ansehen kann.

11. Der Mechaniker installiert ein neues _____, denn der Wagen ist sonst zu laut.

12. Das _____ braucht man, um schneller zu fahren.

7 Wie heißt das auf deutsch?

1. Adjust the inside mirror.

_____

2. What should I do with the clutch?

_____

3. Don't you have another tire?

_____

4. Did you have car trouble on the road?

_____

5. His car was towed to the next town.

_____

6. Please drive very carefully.

_____

7. I have to push my motorcycle.

_____

8. Can't she find the cause?

_____

8 Die folgende Information beschreibt *Lesestück 1*. Setze die richtigen Wörter ein!

Herr Wenzels Auto steht an einer _____, denn es will einfach nicht

weiter. Herr Wenzel _____ nach der Ursache, aber er kann nichts

finden. Er stellt ein _____ auf, damit andere Autofahrer an seinem

Wagen _____ können. Warum geht Herr Wenzel nicht zum nächsten Ort

zu Fuß? Es ist zu _____. Er _____ einen

Autofahrer an und bittet ihn um Hilfe. Dieser verspricht Herrn Wenzel, ins nächste

_____ zu fahren, um dort Hilfe zu holen.

Ein _____ kommt auch bald. Er kann aber unter der Motorhaube nichts

_____. Deshalb muß der Wagen _____ werden.

Wohin kommt das Auto? In eine _____. Herr Wenzel erzählt dem

Werkmeister von seiner Panne. Der Werkmeister _____ sich alles an.

Dann _____ er den Wagen. Er kann aber nichts finden. Deshalb wird

der Wagen in die Werkstatt _____.

Der Werkmeister überprüft die _____ des Autos. Er findet auch gleich

die Ursache. Eine Zündkerze ist _____. Er holt neue Zündkerzen vom

_____.

In der Werkstatt arbeitet ein _____ an einem anderen Wagen. Er muß

die Scheibenbremsen _____. An einem anderen Wagen installiert man

ein neues _____. Nachdem Herr Wenzels Wagen fertig ist, geht er an die

_____. Dort _____ er für die Reparatur. Dann

_____ er schnell die Werkstatt.

Sieh dir die verschiedenen Verkehrsschilder an. Dann beschreibe sie so gut wie möglich! Wovor warnen sie?

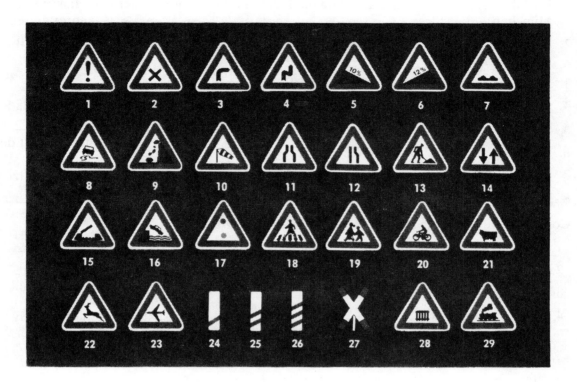

1. _____   2. _____
3. _____   4. _____
5. _____   6. _____
7. _____   8. _____
9. _____   10. _____
11. _____   12. _____
13. _____   14. _____
15. _____   16. _____
17. _____   18. _____
19. _____   20. _____
21. _____   22. _____
23. _____   24. _____
25. _____   26. _____
27. _____   28. _____
29. _____

10 In welchem Jahr hatte dieses Ereignis stattgefunden? Die Beschreibung kannst du im *Lesestück 2* finden.

1. Im Jahre _____ flog die Deutsche Lufthansa wieder von Hamburg nach München.

2. *Graf Zeppelin* hatte zum ersten Mal im Jahre _____ den Südatlantik überquert.

3. Seit _____ fliegt die Lufthansa Jets.

4. Ein Flug von Berlin nach New York dauerte im Jahre _____ fast 25 Stunden.

5. Man hatte im Jahre _____ zum ersten Mal versucht, zu fliegen.

6. Der erste Luftpostdienst der Welt begann im Jahre _____.

7. Busse fuhren die Fluggäste im Jahre _____ vom Flugplatz ins Stadtzentrum.

8. Der erste planmäßige Verkehr der Lufthansa wurde im Jahre _____ eröffnet.

11 Complete the following sentences, based on the *Kulturecke*.

1. Distances on German hiking maps are usually indicated by the letters _____.

2. The German *Pfund* is half a _____.

3. The temperature is indicated in _____.

4. The two numbers _____ and _____ are usually written differently in Germany.

5. Eggs are sold by the _____.

6. 500 _____ are the same as one *Pfund*.

7. There are 100 _____ in one meter.

8. The German number *7* resembles our capital letter _____.

9. Liquids are measured by the _____.

10. A *Meter* is usually abbreviated by the letter _____.

12 Study the following weights and measures; then answer the following problems.

1 gram	= .035 ounce
1 kilogram	= 2.204 pounds
1 centimeter	= .394 inch
1 meter	= 3.281 feet
1 kilometer	= .621 mile
1 liter	= 1.057 quarts (liquid)
1 liter	= .264 U.S. gallon

1. 2 lbs. = _____ g

2. 70 m = _____ ft.

3. 2 300 m = _____ mile(s)

4. 12 U.S. gallons = _____ liter

5. 75 ft. = _____ cm

6. 60 miles = _____ km

7. 7 quarts = _____ liter

8. 250 g = _____ ounces

9. 4.5 kilograms = _____ lbs.

10. 35 yards = _____ m

13 Kreuzworträtsel

(SS = ß)

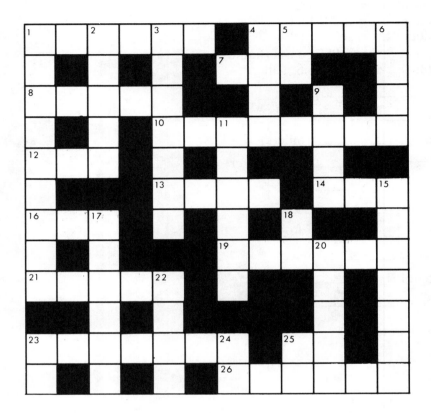

Waagerecht

1. Ein Auto hat vier _____.
4. Wann _____ Sie Ihren Führerschein gemacht?
7. Claudia _____ heute Fahrunterricht.
8. Herr Wenzel hat auf der Landstraße eine _____ gehabt.
10. Der beliebteste Sport in Deutschland.
12. ,,Laufen" auf englisch.
13. Ein Fahrzeug.
14. Ein Mechaniker _____ den Wagen abgeschleppt.
16. Heiko hat beim Fußballspiel das einzige _____ geschossen.
19. Wir sind schon _____ in Europa gewesen.
21. Im nächsten Jahr machen wir eine _____ nach Frankreich.
23. Wo _____ Maria und Dieter denn? Wir warten schon eine halbe Stunde.
25. Sein Wagen steht _____ der Werkstatt.
26. Zu _____ haben die Schüler in Deutschland keine Schule.

Senkrecht

1. Mein Motorrad streikt. Ich bringe es in die _____.
2. Wie gefällt _____ dieser Mantel?
3. Eine Dame, die geheiratet hat, ist eine _____.
4. Mein Freund wohnt nicht in einer Wohnung, sondern in einem _____.
5. ,,Bei" auf englisch.
6. _____, zwei, vier, sechs . . .
9. Das Gepäck paßt nicht in den Wagen. Wir legen es aufs _____.
11. _____ Sie sich bitte auf diesen Stuhl hier.
15. Haben Sie ein _____? Ich muß meine Freundin anrufen.
17. Dasselbe Wort wie Nummer Eins (waagerecht).
18. Wir warten _____ der Ecke auf euch.
20. Hast du _____ Tasche gesehen?
22. Der größte Fluß in der DDR.
23. ,,Sein" auf englisch.
24. ,,Nein" auf englisch.
25. ,,Es" auf englisch.

Lektion 20

1 Vervollständige die folgende Unterhaltung!

A: Guten Tag, Frau Erhardt.

B: _____

A: Hätten Sie jetzt etwas Zeit?

B: _____

A: Dann bringen Sie doch erst die heutige Post.

B: _____

A: Keine Post? Das kann ich gar nicht glauben.

B: _____

A: Er ist doch sonst immer so pünktlich.

B: _____

A: Haben Sie den Brief an Firma Zeller getippt?

B: _____

A: Wann fahren Sie übrigens in den Urlaub?

B: _____

A: Wissen Sie schon, wohin Sie fahren werden?

B: _____

A: Wie lange bleiben Sie denn da?

B: _____

A: Wie ist die Gegend dort?

B: _____

A: Sind Sie schon einmal da gewesen?

B: _____

2 Wie heißt das auf deutsch?

1. That's completely up to her.

   _____

2. We had enough to eat.

   _____

3. What are they busy with?

   _____

4. Can you take dictation?

   _____

5. Typing is very strenuous.

   _____

6. Are they taking a vacation this year?

   _____

7. We are having fun at the beach.

   _____

8. Did the students plan a program?

   _____

9. Are we supposed to exercise?

   _____

10. Who is taking a nap?

   _____

3 Complete each of the following sentences, using the appropriate subjunctive form.

1. Sie ist heute ganz nervös.

   Sie sagt, _____.

2. Der Mann ist Apotheker.

   Der Mann schreibt, _____.

3. Die Amerikaner sind nach Europa geflogen.

   Die Amerikaner erzählten, sie _____.

4. Das Mädchen hat ihn nicht angerufen.

   Hans sagte, _____.

5. Wir haben ein paar märchenhafte Schlösser besichtigt.

   Helga erklärte, _____.

6. Das Wetter ist so kalt.

   Sein Vater schreibt, _____.

7. Ihr habt mit dem Chef gesprochen.

   Ihr sagtet, _____.

8. Ich habe das nicht gewußt.

   Ich schrieb ihr, _____.

9. Wir sind auf die Reise ganz gespannt.

   Er meint, _____.

10. Ihr habt schon mit dem Spiel angefangen.

    Ich dachte, _____.

4 Beantwortet die folgenden Fragen mit einem ganzen Satz!

1. Wohin bist du das letzte Mal in die Ferien gefahren?

   _____

2. An wen hast du das letzte Male einen Brief geschrieben?

   _____

3. Warum bringt man einen Wagen in eine Werkstatt?

   _____

4. Was kauft man auf dem Markt?

   _____

5. Was machst du im Wohnzimmer?

   _____

6. Was hörst du dir am Radio gern an?

   _____

7. Beschreibe dein tägliches Frühstück!

   _____

8. Wohin fährst du gern am Wochenende?

   _____

9. Wohin möchtest du in Deutschland fahren? Warum?

   _____

10. Was würdest du machen, wenn du viel Geld hättest?

    _____

11. Welche Fächer hast du gern? Warum?

    _____

12. Kannst du tippen? Wie viele Wörter die Minute?

    _____

5 *Wenn ich . . .?* Express five wishes. Be sure to use the subjunctive form.

   Beispiel: Wenn ich Geld hätte, könnte ich eine Gitarre kaufen.

1. _____

   _____

2. _____

   _____

3. _____

   _____

4. _____

   _____

5. _____

   _____

6 Choose one of the locations from the list below, indicating where the following situations take place.

Fahrunterricht	Geschäft	Reisebüro
Restaurant	Schule	Werkstatt

1. Wir möchten ein Doppelzimmer mit Bad. _____

2. Geben Sie mir bitte zwei Pfund Fleisch. _____

3. Guten Appetit! _____

4. Diese Arbeit war viel zu schwer. Ich werde das Buch noch einmal lesen.

   _____

5. Fräulein! Zahlen, bitte! _____

6. Sie können auch bei uns ein Hotelzimmer bestellen. _____

7. Bitte halten Sie sich etwas mehr nach links. _____

8. Du solltest diese Lektion sehr gut lernen. _____

9. Ihr Reifen ist schon sehr alt. Sie müssen einen neuen kaufen. _____

10. Was möchten Sie zum Nachtisch? _____

11. Legen Sie bitte den Gang ein! Passen Sie auf! Der Verkehr ist heute besonders stark.

    _____

12. Möchten Sie zwei Pfund von den frischen Erdbeeren? _____

13. Haben Sie Ihre Einkaufstasche mitgebracht? _____

14. In zwei Monaten können Sie wahrscheinlich Ihren Führerschein machen.

    _____

7 Vervollständige die folgenden Sätze!

1. Wenn ich Zeit hätte, _____.

2. Ich würde froh sein, wenn _____.

3. Hätte ich das gewußt, dann _____.

4. Wenn ich fleißig gearbeitet hätte, _____.

5. Wenn ich nur _____!

6. Er glaubte, wir hätten _____.

7. Sie hat gesagt, sie wäre _____.

8. Wären wir ins Büro gegangen, _____.

8 Beschreibe die folgenden Wörter mit einem ganzen Satz!

1. Strandkorb _____

2. Picknickplatz _____

3. Vorverkauf _____

4. Diktiergerät _____

5. Postleitzahl _____

6. Geschäftsbrief _____

7. Briefmarke _____

8. Tagesplan _____

9 Vervollständige die folgenden Sätze über *Lesestück 1*!

1. Singers sind an die _____ gefahren.

2. Die Familie _____ zwei Wochen in dieser beliebten Gegend.

3. Auf einer _____ am Eingang des Erholungsheimes steht das Programm für die Urlaubsgäste.

4. Es gibt einige _____ Veranstaltungen im Erholungsheim.

5. In einem kleinen _____ können die Urlaubsgäste Kleinigkeiten kaufen.

6. Singers kaufen dort eine Schaufel und einen _____ für Tanja.

7. Tanja ist _____ Jahre alt.

8. Tanja spielt gern im _____.

9. Heute ist der Himmel etwas _____.

10. Am Strand _____ sich die Urlauber einen Strandkorb. Dann haben sie ihn für den ganzen Urlaub.

11. Frau Singer schreibt ein paar _____ an ihre Verwandten.

12. Herr Singer _____ mit anderen Urlaubern Volleyball.

13. Große _____ stehen auf Quadraten.

14. Herr Singer mietet ein _____.

15. Manchmal _____ Tanja die Enten und Schwäne.

16. Um halb eins gibt es _____.

17. Zuerst bringt die Kellnerin die _____.

18. Die Urlaubsgäste haben eine _____ von vier Speisen.

19. Singers essen heute Kalbsfrikassee, _____ und Erbsen.

20. Singers' Zimmer ist im _____ Stock.

21. Nach dem Mittagessen _____ Frau Singer und ihre Tochter ein Schläfchen.

22. In einem _____ sieht Herr Singer nach, ob er Post bekommen hat.

23. Er _____ sich in den Lesesaal und liest dort die Zeitung.

24. Später spielen alle das Spiel „_____ ärgere _____".

25. Beim _____ kaufen sie Karten für eine Vorstellung.

10 Beantworte die folgenden Fragen mit einem ganzen Satz!

1. Wo findet man die bekanntesten Weinbaugebiete in der BRD?

   _____

2. Während welcher Jahreszeit kommen viele Besucher in die Weingegenden?

   _____

3. Wie wird die Mosel oft genannt? Warum?

   _____

4. Zwischen welchen beiden kleinen Städten findet man die Deutsche Weinstraße?

   _____

5. Wie lange dauert es, bis die neuen Reben Früchte tragen?

   _____

6. Was machen die Arbeiter mit den vollen Eimern?

   _____

7. Was macht man mit den Trauben, sobald sie im Weingut ankommen?

   _____

8. Warum wird der Saft gekostet?

   _____

9. Wann kommt der Wein zur Abfüllerei?

   _____

10. Welcher Wein bekommt eine Qualitätsbezeichnung?

    _____

11. Wo liegt Neustadt?

    _____

12. Was ist der Höhepunkt eines Besuches in der Weinbaugegend?

    _____

11 Match each description on the right side with an item from the left.

_____ 1. Blaue Grotte

_____ 2. Schloß Hohenschwangau

_____ 3. Parsifal

_____ 4. Richard Wagner

_____ 5. Schloß Neuschwanstein

_____ 6. Schloß Herrenchiemsee

_____ 7. König Ludwig II

_____ 8. Heidelberger Schloß

_____ 9. Schloß Linderhof

_____10. Schloß Mespelbrunn

a. is an imitation of the Versailles castle.

b. is an opera.

c. died in 1883.

d. is a castle in the Spessart.

e. is located only about 20 miles from another famous castle.

f. was built between 1869 and 1886.

g. died in 1886.

h. is where operas were presented.

i. was where King Ludwig II lived most of the time.

j. was built in the 17th century.

12 Sieh dir die folgende Speisekarte an und beantworte dann die Fragen!

FDGB-Erholungsheim „Herbert Warnke"

Tageskarte   Preisstufe III

Vorwahl für Mittwoch, den 15. Juni   Kal.

Mittag
Suppe: Gedecksuppe   108

Tagesgerichte

1. Kalbsfrikassee, junge Erbsen, Risotto   700

2. Gebratenen Schweinebauch, jungen Spinat, Kartoffeln   740

3. Hering „Hausfrauenart", Kartoffeln, Salat   760

4. Currywurst, Risotto, Salat   650

Kindergericht
Kammsteak, Gemüse, Risotto   710

Schonkost
Sahnegulasch, Makkaroni, Salat   650

Nachtisch
Obst   60

Abend

1. Abendbüfett

2. Hackbraten, Gemüse, Kartoffeln   700

— Änderungen vorbehalten —

**Bitte tragen Sie schon heute Ihre Gedeckwünsche für morgen ein.
Vorwahlzettel liegt bei.**

1. Von welchem Erholungsheim ist die Speisekarte?

    _____

2. An welchem Tag können die Urlaubsgäste die Speisen essen?

    _____

3. Was können die Kinder essen?

    _____

4. Wann müssen die Urlauber die Speisen wählen?

    _____

5. Wie viele Kalorien hat die Suppe?

    _____

6. Was gibt es zum Nachtisch?

    _____

7. Was für Gemüse bekommt man zum 2. Tagesgericht?

    _____

8. Welche Auswahl haben die Urlaubsgäste zum Abendessen?

    _____

13 Die folgende Karte und Information beschreibt das Weinbaugebiet Koblenz-Mainz. Lies alles gut durch und beantworte dann die Fragen!

Abschnitt 2:
KOBLENZ–MAINZ

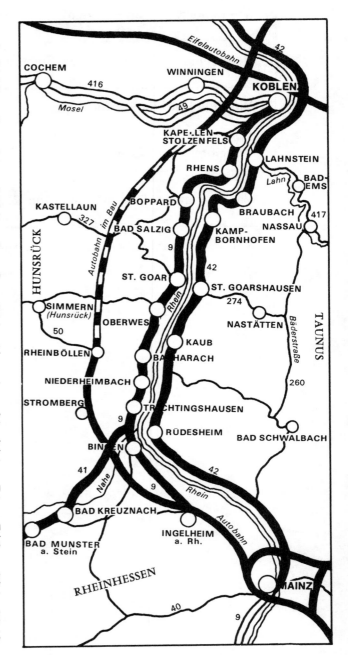

KOBLENZ. « Confluentes » (9 v. Chr.) am Zusammenfluss von Rhein und Mosel. «Drehscheibe des Fremdenverkehrs» am Mittelrheingebiet. Kurfürstliches Schloss-Theater. Sehenswert : Deutsches Eck. Festung Ehrenbreitstein (Sessellift). Neue « Rhein-Mosel-Halle » (Tagungen und Kongresse). Alljährlich Sommerspiele mit Oper und Serenaden im Blumenhof des Deutschherrenhauses. Weindorf am Rheinufer. Alljährlich 2. Sonnabend im August « Rhein in Flammen ».

KAPELLEN-STOLZENFELS. Mit dem bekannten Schloss Stolzenfels (Schlossbesichtigung). Schwimmbad.

RHENS. Im 7. Jahrhundert gegründet. Mittelalterliche Befestigungsanlagen. Königsstuhl (Wahlstätte früherer deutscher Könige).

BOPPARD. Bekannter Wein- und Kneippkurort. Ausgedehnte Rheinanlagen. Sesselbahn zum « Vierseenblick ». Hunsrück-Gebirgsbahn. Schwimmbad. Reste der römischen und mittelalterlichen Stadtbefestigung. Romanische Basilika. Alljährlich im Oktober Winzerfest.

BAD SALZIG. Heilbad am Mittelrhein. Die Burgen « Die feindlichen Brüder ».

ST. GOAR. Am Mittelrhein. Burgruine Rheinfels. Alljährlich im September « Rhein in Flammen ». Hansenfest.

OBERWESEL. Stadt der Türme und des Weines. Mittelalterliche Stadtmauern. 2 gotische Kirchen mit Kunstschätzen. 1000jährige Schönburg, heute Hotel. Bekannte Weinmärkte. Schwimmbad.

BACHARACH. Alte Weinstadt mit Stadtmauern und Wehrtürmen. Fachwerkhäuser. Jugendburg « Stahleck ». Ausgedehnte Rheinanlagen.

NIEDERHEIMBACH. Märchenhain. Museum auf Burg Sooneck. Sehenswert : Achtburgenblick.

TRECHTINGSHAUSEN. Mit den Burgen Rheinstein und Reichenstein, heute Hotel. Clemenskapelle (12. Jahrhundert).

BINGEN mit Bingerbrück. Wein- und Kongressstadt an der Nahe-Mündung. Altrömische Drususbrücke. Mäuseturm mitten im Rhein. Burg Klopp (Sammlung kulturhistorischer Funde). Im September grosses Winzerfest.

BAD KREUZNACH. Sol- und Radiumheilbad mit Kurhaus, Kurpark und Roseninsel am Naheufer. Historisches Dr.-Faust-Haus. Bedeutender Weinbau. Römischer Mosaikboden.

BAD MÜNSTER AM STEIN-EBERNBURG. Sol- und Radiumheilbad mit Mineral-Thermal-Frei- und Hallenschwimmbad, Kurhaus und Kurpark. Rheingrafenstein, Rotenfels und die Ebernburg.

INGELHEIM. Rotweinstadt am Rhein. 2000jähriger Weinbau. Reste des Kaiserpfalz Karls des Grossen. Mittelalterliche Befestigungsanlagen. Bedeutender Obst- und Spargelanbau. Schwimmbad.

MAINZ. Am Zusammenfluss von Rhein und Main. Hauptstadt des Landes Rheinland-Pfalz. Heimat des Erfinders der Buchdruckerkunst, Gutenberg. Bischofssitz. Dom. Kurfürstliches Schloss. Universität. Gutenbergmuseum. Haus des Deutschen Weines. Bekannte Mainzer Fastnacht. Weinmarkt und Gutenbergwoche.

1. Welche beiden Flüsse kommen in Mainz zusammen?

   _____

2. In welchem Monat gibt es in Boppard jedes Jahr ein Weinfest?

   _____

3. Wie alt ist die Stadt Rhens?

   _____

4. Kann man auf der Autobahn nördlich von Rheinböllen fahren?

   _____

5. Wo steht der Mäuseturm?

   _____

6. Welcher Fluß fließt bei Koblenz in den Rhein?

   _____

7. Wie heißt die Straße zwischen Bad Schwalbach und Nassau?

   _____

8. Wo liegt Burg Reichenstein und was ist die Burg heute?

   _____

9. Welche Sehenswürdigkeiten gibt es in Koblenz?

   _____

10. Was pflanzt man in der Gegend von Ingelheim an?

    _____

11. Zwischen welchen beiden kleinen Städten liegt St. Goar?

    _____

12. An welchem Fluß liegt Cochem?

    _____

14 Kreuzworträtsel

(AE = Ä, OE = Ö, SS = ß)

Waagerecht

1. Wir _____ auf der Schreibmaschine.
5. Wie viele _____ hat Hamburg?
9. Heike geht surfen _____ ich gehe lieber schwimmen.
11. Ein Tag in der Woche.
12. Ein Nachbarland Österreichs.
13. Die Sportler wollen die _____ sein und nicht die letzten.
15. _____ Sie Ihren Wagen doch hier stehen.
17. Ich _____ gestern in der Stadt gewesen.
18. Möchtest du eine _____ oder einen Pfirsich?
20. Wir müssen um halb acht _____ der Schule sein.
21. Ich mache zuerst meine Arbeit, _____ ich Tennis spielen kann.
22. _____ euren Rucksack auf der Wanderung mit.
25. Wann fährt der Zug _____?
27. Welcher Film läuft in diesem _____?
30. Peter _____ Wolfgang wird dir dabei helfen.
31. Fehmarn ist eine Insel in der _____.
33. Ursula wartet _____ Theater.
35. Tun, _____, getan.
37. Die Nordsee ist ein _____.
39. _____ gut zu, sonst wirst du nichts verstehen.
40. ,,That's right'' heißt auf deutsch ,,Das _____''.
41. Sind Sie der _____? Ja, ich habe schon lange gewartet.
43. ,,Stunde'' auf englisch.
44. Habt ihr _____ Bücher mitgebracht?
46. Limonade und Eis kann man an dem _____ dort kaufen.
47. ,,Ist'' auf englisch.
48. Wo wohnt Anja? In dem _____ dort drüben.
49. Die Kirche hat einen großen _____.
51. ,,Er'' auf englisch.
52. Wir haben _____ Briefe schon gelesen.
53. Die _____ scheint. Heute ist es sehr schön.
54. Wer fährt nach Deutschland? Horst _____ Günter?

Senkrecht

1. Schreibt die Sätze an die _____!
2. Die Trauben kommen in eine _____. Dort werden sie gepresst.
3. Die nächste Stadt ist nicht weit von hier _____.
4. Wissen Sie, _____ wir ins Museum gehen werden?
5. Herr Schulz hat keine Zeit. _____ hat sich um zehn mit Herrn Peters verabredet.
6. Hast du heute einen Brief bekommen? _____, leider nicht.
7. Die Züge _____ in der kleinen Stadt an.
8. Herr Strunk ist der _____ von Gisela. Er ist schon lange mit ihr verheiratet.
9. ,,Alter'' auf englisch.
10. _____ wir bald? Ich bin schon sehr hungrig.
14. Hast du _____ Kuli? Leider nicht.
16. Heute _____ kommen meine Freunde zu Besuch.
17. Dort kann man Reiseschecks einlösen.
19. Tante Emma wird um zehn mit dem Zug _____.
20. Warten Sie bitte _____ Nebenzimmer.
23. Gestern _____ ich Fußball gespielt.
24. _____ der Deutschen Weinstraße kann man viele Weinberge sehen.
25. Wie viele Stunden _____ du heute? Nicht lange, ich habe nicht viel zu tun.
26. Ein Körperteil.
28. Warum zeigt sie kein _____? Sie hat die Musik einfach nicht gern.
29. Garmisch ist ein _____ in den Alpen.
30. Nord, _____ Süd, West.
32. Hat _____ heute morgen geregnet?
34. ,,Always'' auf deutsch.
36. Auf der _____ kann man sehr schnell fahren.
38. Hast du einen _____? Warum? Dann kann ich die Matheaufgaben schneller lösen.
39. _____ du diese Weintrauben gekostet?
40. Rothenburg liegt an der Romantischen _____.
42. Die wichtigen Dokumente und Briefe sind in den _____ dort auf dem Regal.
45. Die Arbeiter sammeln die Weintrauben in einem _____.
47. Wann wollt _____ Karten spielen?
50. Herr _____ Frau Holz fahren in die Ferien.

15 Sieh dir die folgenden Karten an und beantworte dann die Fragen!

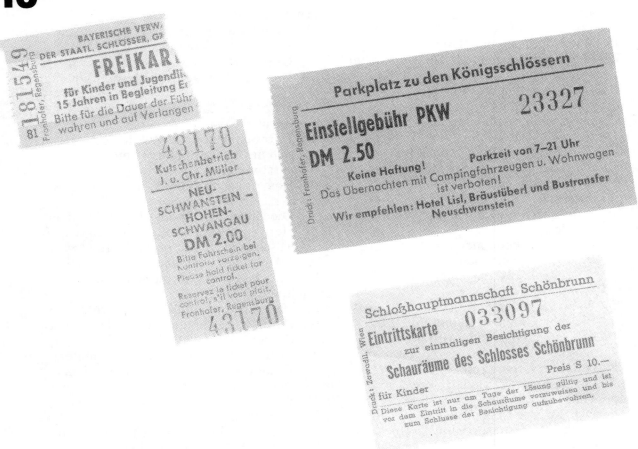

1. Wofür ist die Karte Nr. 43170?

   _____

2. Wieviel kostet die Eintrittskarte zum Schloß Schönbrunn?

   _____

3. Ist die Eintrittskarte zum Schloß Schönbrunn für Erwachsene?

   _____

4. Wieviel kostet es, ein Auto auf einem Parkplatz in der Nähe vom Schloß zu parken?

   _____

5. Von wann bis wann kann der Wagen auf dem Parkplatz stehen?

   _____

6. Was ist auf dem Parkplatz verboten? Warum?

   _____

7. Für wen ist die Karte Nr. 181549?

   _____